150

mots
croisés

Des jeux pour s'évader

Les Éditions
Goélette

Couverture : Marjolaine Pageau
Infographie : Sophie Binette
Conception des mots croisés : Mario Fortier

© Les Éditions Goélette inc.
1350, Marie-Victorin
St-Bruno-de-Montarville (Québec) CANADA, J3V 6B9
Téléphone : 450-653-1337
Télécopieur : 450-653-9924
www.editionsgoelette.com

Dépôts légaux :
Bibliothèque et Archives nationales du Québec
Bibliothèque nationale du Canada
Premier trimestre 2012

Imprimé au Canada

ISBN : 978-2-896990-177-7

Jeu 1

	1	2	3	4	5	6	7	8	9	10	11	12
1	B	A	L	E	I	N	I	E	R			
2	O							E	I	R	E	
3	U	N	E	S								
4	R											
5	D						T					
6	A		L				R			N	O	N
7	I	C	I		E	R	I	N	E		G	E
8	C	A	B	O	T		C					
9	E	M	É	T		C	H	R	O	M	E	R
10		P	L	I	S	S	E					
11	S	U	L	T	A	N						
12	O	S	E	É	S							

◻ Horizontalement ◻

1. ~~Navire pour la pêche à la baleine~~ — Cadmium.
2. Avis — ~~Irlande.~~
3. ~~Premières~~ — Régionales.
4. Réfutai — Autrement dit.
5. Cube — Satinée.
6. Aérienne — ~~Refus.~~
7. ~~Pas ailleurs~~ — Instrument chirurgical — ~~Germanium.~~
8. ~~Nain~~ — Cacher.
9. ~~Diffuse~~ — Recouvrir de chrome.
10. ~~Froissé~~ — Énonce.
11. ~~Souverain ottoman~~ — Émotteuse.
12. ~~Audacieuses~~ — Calibrer.

◻ Verticalement ◻

1. ~~Aulne noir~~ — ~~Sud-ouest.~~
2. Anhélation — ~~Complexe universitaire.~~
3. Attache — ~~Satire.~~
4. Met dans un silo — ~~Inflammation de l'oreille.~~
5. Deux romains — Godet — ~~Tamis.~~
6. Affréter un bateau — ~~Centrale syndicale du Québec.~~
7. Procris — ~~Truqué.~~
8. Radouber — Hectolitre.
9. Galère — Plante aquatique.
10. Insulaire — Princes musulmans.
11. Inventa — Géante vorace.
12. Tracé — Raire.

Jeu 2

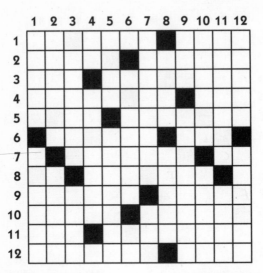

```
      1  2  3  4  5  6  7  8  9  10 11 12
   1
   2
   3
   4
   5
   6
   7
   8
   9
  10
  11
  12
```

❏ Horizontalement ❏

1. Pilastre — Mesures agraires.
2. La Scala — Celle de Halley est la plus connue.
3. Cubes — De la Côte d'Ivoire.
4. Mouche — Explosif.
5. Bride — Chiquenaude.
6. Songent — Océan.
7. Attardé — Article étranger.
8. Ytterbium — Écumant.
9. Carrousel — Agneline.
10. Occupée — Hôtelier.
11. Problème — Répéter.
12. Facteur — Cheville.

❏ Verticalement ❏

1. Codifier — Liquide organique riche en protéines et en lymphocytes.
2. Exécuter — Petit tonneau.
3. Épargner avec avarice — Ville de la Côte d'Azur.
4. Richesse — Austères.
5. Éclot — Tablette.
6. Action de vanner — Dans.
7. Ecclésiastique qui était chargé de l'inspection des écoles d'un diocèse — Meuble de repos.
8. Oiseaux de basse-cour — Gorge.
9. Compagnon de Mahomet — Installée.
10. Guerrier brutal — Troisième personne.
11. Allonger — Déshabillées.
12. Sentier — Plante grimpante.

Jeu 3

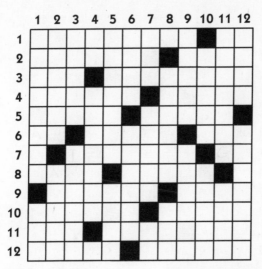

□ Horizontalement □

1. Relatif à la congestion — Canadien National.
2. Émousse — Éventa.
3. Classification pour l'huile — Porte-bonheur.
4. Se poser sur la Lune — Il tape vite.
5. Flétrie — Acte de pensée.
6. Dans le vent — Vase sacré — Possédés.
7. Corps ecclésiastiques — Note.
8. Réfutai — Demeura.
9. Conclure — Choisis.
10. Acheteur — Ring.
11. Saison — Piste.
12. Capitale de la France — Passages étroits.

□ Verticalement □

1. Qui se rapporte à César — Pied de vigne.
2. Laiteux — Ville d'Ukraine.
3. Boucle — Attaquer par la carie.
4. Soldat américain — Ignoré.
5. Complète — Premières.
6. Étoile de cinéma — Pauses.
7. Pareil — Avancer dans l'eau — Pascal.
8. Séparés — Rocambole.
9. Apparat — Alcool polycyclique.
10. Homs — Poinçon.
11. Vaniteux — Naturel.
12. Un milliardième — Judicieuses.

Jeu 4

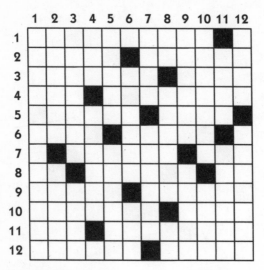

	1	2	3	4	5	6	7	8	9	10	11	12
1												
2												
3												
4												
5												
6												
7												
8												
9												
10												
11												
12												

◻ **Horizontalement** ◻

1. Entrées.
2. Pisse — Malpropreté.
3. Bureau de tabac — Se trompe.
4. Métro — Vigueurs.
5. Bouverie — Du verbe avoir.
6. Dernier repas du Christ — Tasser la neige avec les skis.
7. Implicite — Vieux.
8. Conifère — Avariera — Patrie d'Abraham.
9. Combats — Procéder au lainage de.
10. Assailli — Gourou.
11. Gêné — Personne dont le métier est de prendre des oiseaux.
12. Avons en main — Claire.

◻ **Verticalement** ◻

1. Arrogant.
2. Aigle d'Australie — Escapade.
3. Trépidant — Irlande.
4. École — Race de chiens.
5. Nouvelle gelée — Pain de sucre.
6. Original — Situé.
7. Affaiblie — Singes.
8. Radium — Fera avancer une chaloupe — Dans.
9. Poème — Rapace.
10. Classera par séries — Obscurité.
11. Beaucoup — Jachère.
12. Carabosse et Morgane — Garniture de métal.

Jeu 5

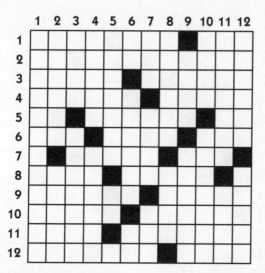

	1	2	3	4	5	6	7	8	9	10	11	12
1												
2												
3												
4												
5												
6												
7												
8												
9												
10												
11												
12												

❐ Horizontalement ❐

1. De la France — À lui.
2. Revirement.
3. Ornement — Prophétie.
4. Embarrassées — Parier.
5. Manganèse — Cheval reproducteur — Cale.
6. Posséda — Orignal — Terre.
7. Caillé — Flan aux raisins secs ou aux pruneaux.
8. Aventure intérieure — Oiseaux.
9. Présage — Maladie due au bacille de Hansen.
10. Chamois — Charbon friable.
11. Bride — Le retour à l'école.
12. Alcaloïde toxique — Étroitement collé.

❐ Verticalement ❐

1. Partiel.
2. Mémorisé — Astuces.
3. Dieu solaire égyptien — Bohémien.
4. Attachée — Purifier.
5. Nettoyer des corps étrangers — Rutherford.
6. Argon — Le fait de saler — Radon.
7. Procris — Noue — Carabosse.
8. Discours moralisateur — Astringent.
9. Organe du toucher — Fête.
10. Arides — Prénom masculin.
11. Soutirer — Bagatelle.
12. Stéréophonie — Embarrassée.

Jeu 6

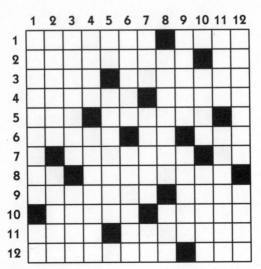

◻ Horizontalement ◻

1. Méchanceté — Effectuera.
2. Radinerie — Avant-midi.
3. Chef religieux musulman — Attirera.
4. Prénom masculin — Congelés.
5. Issue — Imaginaire.
6. Double point — Erbium — Saison.
7. Saignement — Sélénium.
8. Article — Manufacturerai.
9. Ablation — Capitale de la Lettonie.
10. Opalescent — Lac situé entre la Suisse et la France.
11. Policier — Prénom masculin.
12. Bon — Bramé.

◻ Verticalement ◻

1. Ensemble des clients — Faubourg.
2. Bouger — Déporté.
3. Usées — Irlande.
4. Affectionné — Prénom masculin.
5. Unique — Ne fais rien.
6. Sucer — Prénom féminin.
7. Époque — Caribou — Or.
8. Avalée — Unité d'éclairement.
9. Célébrée — Rôder.
10. Pronom personnel — Adorer.
11. Précieux — Bohémien.
12. Accumulée — Pilastre cornier.

Jeu 7

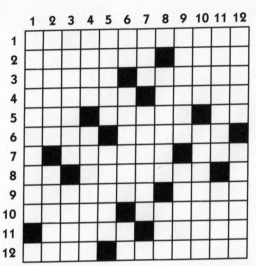

▫ Horizontalement ▫

1. Camionneur.
2. Silex — Étroitement collé.
3. Boucher avec du lut — Allure.
4. Conseillère secrète — Garder à la main.
5. À moi — Niche funéraire — Drame japonais.
6. Cheville — Titine.
7. Conduit — Hallucinogène.
8. Ricané — En tous lieux.
9. Cul-de-sac — Massif de la Suisse.
10. Énuméré — Ouananiche.
11. Utilisera — De l'Ibérie.
12. Engrais azoté — Ricaneuses.

▫ Verticalement ▫

1. Mesure des distances par procédé optique, acoustique ou radioélectrique.
2. Rougeâtres — Pollué.
3. Prince — Appuyé.
4. Contester — Embrochée.
5. Sillon — Amplificateur de micro-ondes.
6. Potentiel hydrogène — À l'égard de — Argon.
7. Organisation des États américains — Crevasses.
8. Stéréophonie — Cri de douleur.
9. Quémandeur — Vautour.
10. Paradis — Derniers.
11. Pourvus d'un crochet — Qui suscite l'épouvante par le sang abondamment versé.
12. Kitsch — Femelles du daim.

Jeu 8

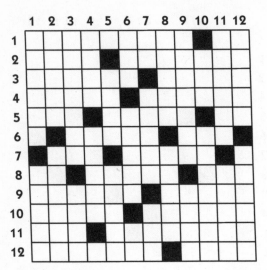

☐ Horizontalement ☐

1. Décapsuler — Article étranger.
2. Cheminée — Sans poils.
3. Qui concerne un hiatus — Oiseaux d'Australie.
4. Haussas — Conductrice d'ânes.
5. Se rendra — Surveillés — Venu au monde.
6. Proportionnée — Époque.
7. Incendie — Nuancera.
8. Erbium — Trophée indien — Berceau.
9. Maffia — Chanvre de Manille.
10. Attachées — Marcheur.
11. Enzyme — Distraction.
12. Buttes — Regimber.

☐ Verticalement ☐

1. Fleur — Bruit.
2. Canal — Fruit rouge.
3. Rodomontade — Raire.
4. Montagne de Grèce — Dehors !
5. Enzymes — Récompense cinématographique.
6. Poil — Criminel — Moi.
7. Hectomètre — Ancêtre — Chassie.
8. Bois noir — Dense.
9. Mettre à l'abri — Être grand ouvert.
10. Bramé — Replié.
11. Qui a la couleur de l'ivoire — Privé de ses rameaux.
12. Blessée — Fanfaronner.

Jeu 9

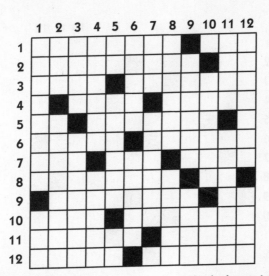

▢ Horizontalement ▢

1. Bazar — Se rendra.
2. Ornement militaire — Aluminium.
3. Flétrit — Action de meuler.
4. Greffe — Tasser la neige avec les skis.
5. À lui — Idiote.
6. Greffée — Harassée.
7. Nouveau — Transmuta — Pronom personnel.
8. Clarifié — Dialecte.
9. Personne qui délègue — Existes.
10. Perroquet — Force navale.
11. Écimer — Conducteur d'ânes.
12. Ventiler — Terre essartée.

▢ Verticalement ▢

1. Liquide pétrolier — Prénom féminin.
2. Inflorescence — Récit succinct d'un fait piquant.
3. Vaste bassin protégé — Endurer.
4. Changement du registre de la voix à l'adolescence — Couché.
5. Article étranger — Auge — Erbium.
6. Distancée — Presser.
7. Sainte — Ennui.
8. Analysé — Ils parlaient le quechua.
9. Svelte — Écorces de chêne.
10. Américain — Cri de charretier.
11. Furie — Irriter.
12. Mise en éveil — Donne à boire.

Jeu 10

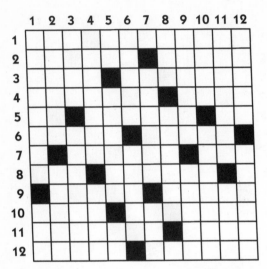

◻ Horizontalement ◻

1. Contusion.
2. Prénom masculin — Adorer.
3. Non apprêtés — Riz indien.
4. Douter — État d'Asie.
5. Infinitif — Dix jours — Moi.
6. Avancer dans l'eau — Caisson basculant intégré à un camion.
7. Pas-de-Calais — Se rendra.
8. Supplément — Inflammation de l'iléon.
9. Mur — Ronchonner.
10. Air — Âgée.
11. Avancer avec le ballon, au basketball — Drogué.
12. Inscrivis — Perdue.

◻ Verticalement ◻

1. Manigancer — Acide désoxyribonucléique.
2. Vagabondera — Apéritif.
3. Droit d'utiliser la chose dont on est propriétaire — Stature.
4. Habiter — Entoura d'une enveloppe extérieure.
5. Théâtre National — En troisième lieu — Mesure chinoise.
6. Rebab arabe — Fruit.
7. Péninsule du sud-ouest de l'Asie — Colère.
8. Tamis — Veut.
9. Relatif au singe — Forêt de conifères.
10. Second calife des musulmans — Gâter par la nielle.
11. Enivrer — Pronom personnel.
12. Instrument chirurgical — Acceptée.

Jeu 11

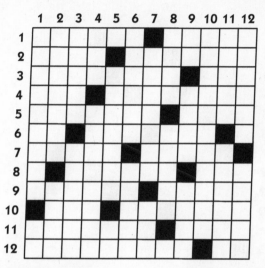

▫ Horizontalement ▫

1. Sculpture — Habitants de la Turquie.
2. Boudin — Dentelé.
3. Glorifier — Durillon.
4. Volonté — Innovateur.
5. Honnête — Baie.
6. Possède — Uvules.
7. Prophète hébreu — Myriapodes.
8. Ignorant — À moi.
9. Rédigés — Narine des cétacés.
10. Supplément — Tacheté.
11. Support contenant une burette pour l'huile et une autre pour le vinaigre — Article.
12. Fenestration — Samarium.

▫ Verticalement ▫

1. Il suit un stage — Hafnium.
2. Vertige — Non cuite.
3. Stop — Bronze.
4. Cheville — Apte à être élu.
5. Pommade médicamenteuse — Pronom anglais.
6. Naître — Vendangeuse.
7. Porter un vêtement — Se rendra.
8. Un billion — Assassinées.
9. Unique — Ancienne monnaie chinoise — Route.
10. Dénombrement.
11. Furoncles — Filets de pêche.
12. Comprimée — Virage en ski.

Jeu 12

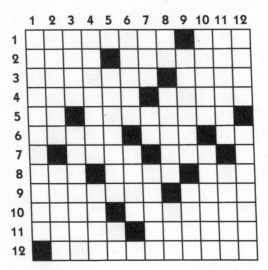

	1	2	3	4	5	6	7	8	9	10	11	12
1												
2												
3												
4												
5												
6												
7												
8												
9												
10												
11												
12												

❑ Horizontalement ❑

1. Alcaloïde du tabac — Courbe.
2. Brut — Enivrer.
3. Instaurée — Parie.
4. Refermé — Étourdi.
5. Lawrencium — Pas entendu.
6. Ventilée — Possèdent — Sud-ouest.
7. Montagne de Grèce — Vent.
8. Cubes — Empereur — Tente.
9. Dilettante — Transmuter.
10. Oiseau échassier — Comique.
11. Relatif au mollet — Cheval reproducteur.
12. Calmement.

❑ Verticalement ❑

1. Hollandais.
2. Jaunisse — Devenus mats, en parlant de tableaux.
3. Mot imitant un bruit sec — Chapelet.
4. Omise — Empereur.
5. Jumelle — Article.
6. Opalescent — Ciel.
7. Issue — Cobalt — D'Arius.
8. Lien — Asdic — Sainte.
9. Petit mammifère des Antilles — Indique que quelque chose est alléchant.
10. Amoureux — Monnaie de la Russie.
11. Occupes le trône — Conformément à.
12. Inventé — Agissent.

Jeu 13

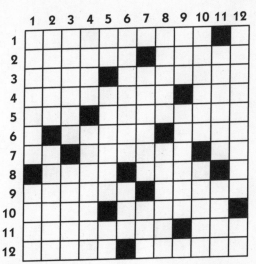

◻ Horizontalement ◻

1. Imperméabilité.
2. Fonçage — Les chaînes d'ancre y sont rangées.
3. Alevin — Releveur.
4. Cavité au-dessous de l'épaule — Cheville.
5. Solution — Néfaste.
6. Anéantit — Organe de la vue.
7. Rutherford — Ils tapent vite — Article étranger.
8. Mer — Doigté.
9. Stéréophonie — Étoffes drapées indiennes.
10. Puissance surnaturelle — Relatif à la colonne vertébrale.
11. Dont on extrait de l'huile — Démonstratif.
12. Acte — Têtu.

◻ Verticalement ◻

1. Enlever — Brouillard.
2. On y enferme les taureaux avant la corrida — Déguerpit.
3. Niveler — Timides.
4. Viens au monde — Utiliserait.
5. Centigramme — Publiée — Fer.
6. De la Grèce — Tente.
7. Marchant — Petite prairie.
8. Ardente — Habitant d'une oasis.
9. Bruit sec — De la Toscane.
10. Écimée — Pas.
11. Massacre — Petite île.
12. Déréistiques — Sélénium.

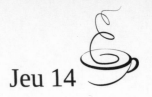

Jeu 14

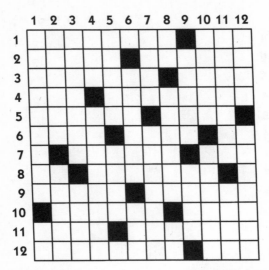

▢ Horizontalement ▢

1. Bruyant — Pose.
2. Cabriole — Loupage.
3. Grossière — Bord d'un bois.
4. Règle — Réveilles.
5. Intercalé — Lolo.
6. Pâtés impériaux — Allure du cheval — Sodium.
7. Surprise — Société de construction électrique allemande.
8. Coutumes — Aères.
9. Abrasif — Butte.
10. Calibrer — Te rendras.
11. Courbe — Déchirant.
12. Sas — Attaché.

▢ Verticalement ▢

1. Qui connaît trois langues — Jumelles.
2. Don — Marmaille.
3. Soumission à l'autorité du pape — Choisis.
4. Il a 15 ans — Attendues.
5. Droguer — Opinion.
6. Ive — Inflorescence.
7. Engrais azoté — Réintégrer.
8. Radium — Plante lacustre — Note.
9. Cheville de fer — Prénom masculin.
10. Bord intérieur d'un plat — Sidéral.
11. Relative à la mer Égée — Femme d'un raja.
12. Chevilles — Champêtre.

Jeu 15

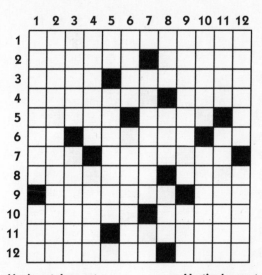

◻ Horizontalement ◻

1. Praxie.
2. Archet — Brouillard.
3. Moiré — Régionales.
4. Ordonnée — En direction de.
5. Sucer — Terres.
6. Sans quoi — Excréments — Tibia.
7. Agence spatiale européenne — Palatin.
8. 7 jours — Poissons.
9. Mammite — Gaz.
10. Aérée — Pas belle.
11. État d'Asie — Rigidité.
12. Disposées en stères, en parlant des cordes de bois — Léopard des neiges.

◻ Verticalement ◻

1. Perroquet — Boulon.
2. Tempétueusement.
3. Groupe de huit bits — Praline.
4. Souveraines — Vendangeuse.
5. Oui — Pétille.
6. Mille-pattes — Courroie.
7. Fleur — Champion.
8. Base d'une science — Prénom féminin — Terre retournée.
9. Travelo — Il a 15 ans.
10. Myriapodes — Prénom masculin.
11. Prénom masculin — Pipeline.
12. Centaure — Quart d'une corde de bois.

Jeu 16

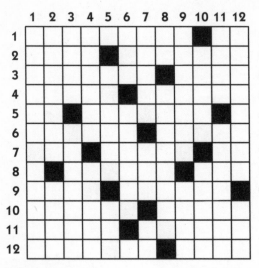

▢ Horizontalement ▢

1. Transporteur — Apostille.
2. Alliage — Contrainte.
3. Ensemble des objets composant un lit — Acteur américain, mort en 1955.
4. Fugitif — Singe.
5. Nickel — Récifs.
6. Arrêter — Pâle.
7. Se rendra — Dieu marin — Lui.
8. Garnir de lattes — On les mentionne toujours avant les autres.
9. Obscur — Relative aux reins.
10. Prénom féminin — Tranchant.
11. Rôder — Température.
12. Disposées en stères, en parlant des cordes de bois — Petite brosse en soie de porc.

▢ Verticalement ▢

1. Dentelle d'une variété très fine.
2. Son fruit fournit de l'huile — Astronome néerlandais.
3. Lettre grecque — Saleron.
4. Indifférents — Munir d'armes.
5. Nouveau — Colère.
6. Souverain — Canal excréteur.
7. De l'Ibérie — Bramé — Césium.
8. Article étranger — Hiémal.
9. Châssis à claire-voie — Berger sicilien aimé de Galatée.
10. Pois de senteur — Théologien musulman.
11. Derme — Minéral.
12. Aguichants — Saison.

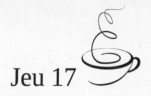

Jeu 17

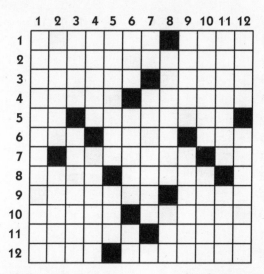

	1	2	3	4	5	6	7	8	9	10	11	12
1												
2												
3												
4												
5												
6												
7												
8												
9												
10												
11												
12												

❏ Horizontalement ❏

1. Chaînon — Chanteuse française.
2. Impossible.
3. Contracté — Couché.
4. Mets suisse — Sherpas.
5. Tibia — Louanger.
6. Communauté économique européenne — Ministre de Dagobert — Type.
7. Énoncés — Erbium.
8. Tracé — Ricanements.
9. Célébrée — Accumulateur.
10. Confesse — Réfutas.
11. Duperie — Pointage.
12. Grand lac — Posséder.

❏ Verticalement ❏

1. Qui a une tête anormalement petite.
2. Asperge — Enrouler.
3. Membrane colorée de l'œil — Bien dans sa peau.
4. Souple — Sans queue.
5. Mettre bas, en parlant de la lapine — Métro.
6. Interjection espagnole — Fermer — Édouard.
7. Nickel — Gardien de prison.
8. Exploitant d'un marais salant — Existe.
9. Blêmis — Session.
10. Pareil — Jeune branche destinée à être greffée.
11. Modifiée — Curry.
12. Carabosse et Morgane — Approfondir.

Jeu 18

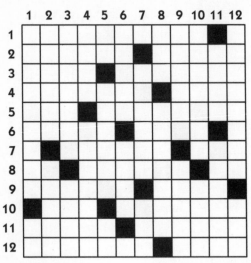

	1	2	3	4	5	6	7	8	9	10	11	12
1												
2												
3												
4												
5												
6												
7												
8												
9												
10												
11												
12												

◻ Horizontalement ◻

1. Qui aime souffrir.
2. Très petite île — Rôder.
3. Stationne — Balcon.
4. River — Vassal.
5. Roi de Juda — Développée.
6. Étiré — Deviendra.
7. Sucées — Classification pour l'huile.
8. Rayons — Grande bouteille entourée de paille — Hélium.
9. Rit — Chenal.
10. Hibou — Rictus.
11. Touffe de cheveux — Protester.
12. Épi — Transpiration abondante.

◻ Verticalement ◻

1. Qui migre — Chiffres romains.
2. Couvre-lit — Magnétoscope.
3. Donnant à manger — Niais.
4. Enlevée — Nettoie.
5. Carat — Tudesque — Lien.
6. Philosophe allemand — Obtenues.
7. Niveler — Partie de la couronne.
8. Condiment — Ancien jeu de cartes.
9. Butin — Vagabondas.
10. Te tromperas — Strident.
11. Irlande — Étonnée.
12. Favorite — Époque.

Jeu 19

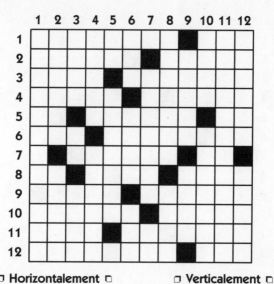

	1	2	3	4	5	6	7	8	9	10	11	12
1												
2												
3												
4												
5												
6												
7												
8												
9												
10												
11												
12												

❑ Horizontalement ❑

1. Obi — Nez.
2. Averses — Queue-de-rat.
3. Contester — Squame.
4. Distancée — Laideur.
5. Éminence — Aplati — Note.
6. Partie d'une église — Lieu planté de houx.
7. Alcool — Théâtre National.
8. Article étranger — Sylphe — Nation.
9. Mélange confus — Redit.
10. Éparpillée — Capitale de la France.
11. Capitaine du Nautilus — Moineau.
12. Transcoder — École.

❑ Verticalement ❑

1. Accord.
2. À un rang indéterminé — Boire à coups de langue.
3. Pareil — Faubourg — Navigateur portugais.
4. Dieu marin — Chasseur passionné.
5. Tellure — Paisseau.
6. Affaibli — Petite construction établie sur le pont d'un navire — Inflorescence.
7. Enduire de chaux — Infinitif.
8. Drue — Arme.
9. Plis — Traverse.
10. Épluché — Consterné.
11. Trait de génie.
12. Spectacle merveilleux — Éprouva.

Jeu 20

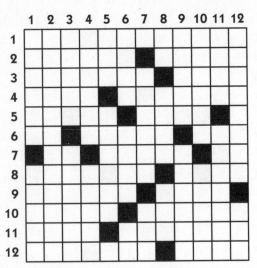

◻ Horizontalement ◻

1. Avant.
2. Ventilation — Décoration.
3. Chicorée à larges feuilles, mangée en salade — Avantagé.
4. Rivage — Appliquer.
5. Pomme cannelle — Oiseaux de basse-cour.
6. Romains — Bois noir — Région couverte de dunes.
7. Article étranger — Conclut — Dans.
8. Canal reliant le larynx aux bronches — Parié.
9. Époux d'Isis — Visage.
10. Portée d'une femelle — Eider.
11. Vante — Machine à imprimer.
12. Vigueur — Raire.

◻ Verticalement ◻

1. Prénom masculin — Clameur.
2. Recyclage.
3. Muse — Salade.
4. Carénage — Inventer.
5. Le moi — Étonnée.
6. Plus loin que — Périodes — Note.
7. Essuyé — Compagnie.
8. Mendélévium — Bâton enfoncé — Partisan.
9. Insecte coléoptère — Se dégager.
10. Partie nord de la Grande-Bretagne — Fils de Dédale.
11. Inscrit — Gêne.
12. Tiare du pape — Dernier.

Jeu 21

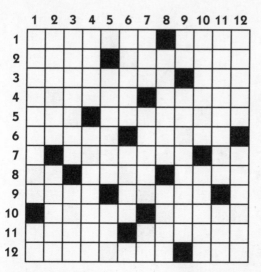

❑ Horizontalement ❑

1. Échevelé — Enclos.
2. Céleri-rave — Percer des trous dans.
3. Relatives à l'utérus — Terme de tennis.
4. Larve des batraciens — Partie liquide du sang.
5. Bison — Qui vit dans les rochers.
6. Rassemblé — Greffée.
7. Ratisser — Rayons.
8. Existes — Caché — Champ.
9. Outil de tailleur de pierre — Sec.
10. Partie du pied — Bégueter.
11. Bord intérieur d'un plat — Taillé finement.
12. Méchantes — Possédés.

❑ Verticalement ❑

1. De la haute mer — Chiffres romains.
2. Jaunisse — Instrument de musique.
3. Orateur — Semblé.
4. Deviendra — Panier suspendu à un ballon.
5. Agacé — Ancien oui.
6. Étiré — Orignal.
7. Saison — Éplucher — Démonstratif.
8. Frappe — Oiseau échassier.
9. Prométhium — Tribunes.
10. Entretien à l'écart — Droguée.
11. Cureur — Nommé.
12. Élite — À vous.

Jeu 22

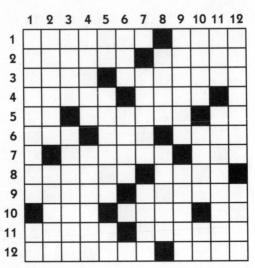

□ Horizontalement □

1. Propose — Unité de force électromotrice.
2. À un rang indéterminé — Cadavre desséché et embaumé.
3. Meubles de repos — Séminaire.
4. Écimé — Unité de mesure de puissance électrique.
5. Venu au monde — Ennuyé — Note.
6. Préfixe — Bison — Il élabore l'urine.
7. Chute des cheveux et des poils par plaques — Colère.
8. Courants — Colocase.
9. Dense — Netteté.
10. Terme de tennis — Milieu du jour — Dans.
11. Tendre — Vaniteux.
12. Échevelé — Estonien.

□ Verticalement □

1. Se dit d'un acide de sélénium — Cheval-vapeur.
2. Accords — Soldat des corps de cavalerie.
3. Habitation — Ajouter de l'opium à.
4. Acte — Canaux.
5. Éminence — Concurrents — Obtenu.
6. Roue à gorge — Membre rattaché à l'épaule.
7. Tissu de laine cardée — Bouffarde.
8. Orifice d'un canal — Analyse.
9. Effectuer une volte — Sec.
10. Oublia — Irlande — Champion.
11. Attaché — Boivent lentement.
12. Fini — Greffe.

Jeu 23

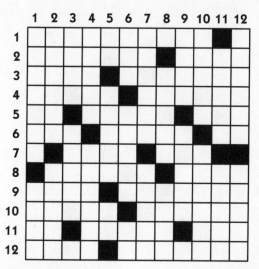

	1	2	3	4	5	6	7	8	9	10	11	12

❑ Horizontalement ❑

1. Bien-fondé.
2. Stérilise du lait — Appui.
3. Mille-pattes — Instrument de musique à vent.
4. Ses proches — Brassas.
5. Champion — Se dégage — Blonde enivrante.
6. Issue — Plante des climats chauds — Erbium.
7. Malpropre — Entre parenthèses.
8. Doublet — Minou.
9. Hasard — Étudiant.
10. Barbiche — Effrayé.
11. Rayons — Célébrité — Un centième de sievert.
12. Vigueur — Visitera.

❑ Verticalement ❑

1. Brillant — Usage excessif.
2. Éreinté — Du groupe qui comprend les Russes.
3. Drogué — Sel.
4. Prénom féminin — Péninsule du sud-ouest de l'Asie.
5. Titane — Marmaille — Édouard.
6. Préfixe — Fruit rouge aigrelet — Opus.
7. Mécanicien — Théâtre de Milan (La).
8. Vieilles — Trous dans un mur.
9. Sans eau — Poids de six grammes.
10. Esquiva — Chiasse.
11. Relative à l'anus — Ventiler.
12. Lasser — Double point.

Jeu 24

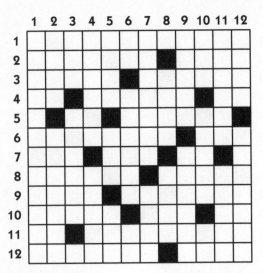

▢ Horizontalement ▢

1. Consolées.
2. Fautes — Capitale de la Norvège.
3. Partie du bras — S'absenter.
4. Tibia — Prénom masculin — Cube.
5. Avant-midi — Grand-mère.
6. Graisse minérale, onctueuse et incolore — Se rendra.
7. Thymus du veau — Suffixe — Docteur.
8. Éviter — Droit d'accès à une route.
9. Pareil — Amaigrir.
10. Allonge — Boxeur — Note.
11. Aux limites de la nuit — Beauté.
12. Télésiège — Périodes.

▢ Verticalement ▢

1. Récupération.
2. Dieu de l'amour — Pale.
3. Vert — Endossé.
4. Gonflement pathologique d'un tissu — Compact.
5. Nuancer — Attaché — Que l'on doit.
6. Francium — Éclore — Berkélium.
7. Substance organique du groupe des scléroprotéines — État d'Afrique.
8. Audacieuse — Blêmi.
9. Tortueux — Détruit.
10. Existe — Déchiffrerai — Infinitif.
11. Pratiquer l'élision de — Acte.
12. Groupe de sporanges — Sottises.

Jeu 25

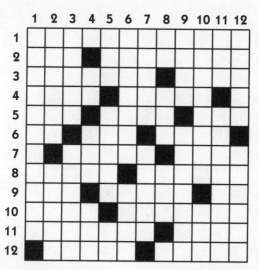

◻ Horizontalement ◻

1. Absorption.
2. Terme par lequel les juifs désignent les non-juifs — Haine.
3. Patch — Blêmi.
4. Aperçu — Marteau.
5. Ce qui arrive — Prénom masculin — Arbre d'Amérique tropicale.
6. Unique — Oncle d'Amérique — Colères.
7. Beaucoup — Paresseux.
8. Sali — Emploi involontaire d'un mot pour un autre.
9. Bison — Convenable — Titane.
10. Reine des fleurs — Patelin.
11. Il publie — Cohue.
12. Écolier — Fouteau.

◻ Verticalement ◻

1. Agronomie.
2. État d'Afrique — Rongé.
3. Situées — État d'Amérique du Sud.
4. Tellure — Monnaie du Japon — Saison.
5. 1 002 — Refuge — Électronvolt.
6. Qui n'a pas reçu de nom — Nommée.
7. Valait environ 4 kilomètres — Pif.
8. Avant-midi — Classement — Baudet.
9. Tente — Séparation.
10. Habitants de Rome — Fut contraint.
11. Ancien oui — Recueil des psaumes.
12. Cocaïne — Courante.

Jeu 26

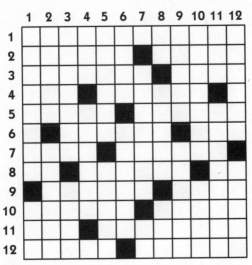

	1	2	3	4	5	6	7	8	9	10	11	12
1												
2												
3												
4												
5												
6												
7												
8												
9												
10												
11												
12												

▫ Horizontalement ▫

1. Bruyant.
2. Rauque — Ensemencer.
3. Sérielle — Elle fait des recherches spatiales.
4. Vert — Breuvage des dieux.
5. Succès — Différents.
6. Plante grimpante — Saison.
7. Affaiblie — Stérilisée.
8. Note — Irrité — Rutherfordium.
9. Rattachée — Quatrième partie du jour.
10. De la Corée — Pied bot tourné vers l'intérieur.
11. Procris — Bizarres.
12. Crochets doubles — Modifie.

▫ Verticalement ▫

1. Moteur d'avion — Compagnie.
2. S'engagea — Deviendrons.
3. Inquiet — Dieu de l'amour.
4. Agent secret — Grand-mère.
5. Légère différence — Attachées.
6. Télévision — Nouveau.
7. Isolée — Radium.
8. Nazi — Meurtrier — Vallée.
9. Assemblée politique — Avançant.
10. Fixée — Escourgeon.
11. Issus — Atchoumer.
12. Grande inquiétude — Moitié de derrière.

Jeu 27

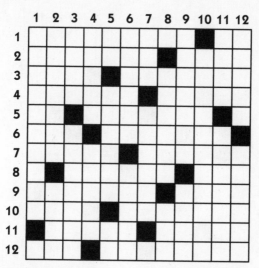

❏ Horizontalement ❏

1. Copie — Oui.
2. Aplanir — Paresseux.
3. Baudets — Relation.
4. Il construit des barrages — Analyse.
5. Terbium — Se poser à la surface de l'eau.
6. Terre — Chevreuil.
7. Sisymbre officinal — Mouton mâle.
8. Espagne — Jacuzzi.
9. Singe — Utilisât.
10. Diffuse — Corrompu.
11. Munie d'une anse — Volage.
12. Existe — Rangera.

❏ Verticalement ❏

1. Inertie.
2. Pitoyable — Tas.
3. Ivettes — Usent.
4. Éprouva — Tripes.
5. Aluminium — Mettre dans l'ombre — Erbium.
6. Se cacher (Se) — Flétrie.
7. Se rendra — Alcool frelaté.
8. Trouée — Ride.
9. Relatif aux noces — Bisons.
10. Action de se nourrir.
11. Aiguillon — Dégarnir de pavés.
12. Table consacrée — Manquera.

Jeu 28

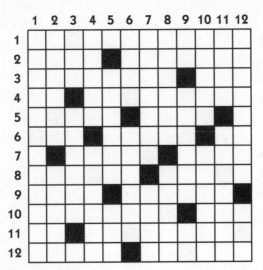

	1	2	3	4	5	6	7	8	9	10	11	12
1												
2												
3												
4												
5												
6												
7												
8												
9												
10												
11												
12												

☐ Horizontalement ☐

1. Réorganiser.
2. Nommée — Labferment.
3. Éloigné — Affirmes.
4. Argent — Dernières volontés.
5. Sucer — Boucliers.
6. Préfixe — Ricanements — Canadien National.
7. Commode — Tue.
8. Prend (S') — Cavités.
9. Transmuter — Original.
10. Plaquer une tarte à la crème sur le visage de quelqu'un — Fils de Noé.
11. Nickel — Combattante.
12. Crânes — Garnir de fer.

☐ Verticalement ☐

1. Au sujet de.
2. Louanges — Équipée.
3. Dynastie chinoise — Culot.
4. Abri de toile — Pesage.
5. Arriver près de la côte — Ruisselets.
6. Poison végétal — Inflammation de l'iléon.
7. Preuve, raison — Tendon.
8. Coriace — Notre planète.
9. Coutumes — Flâneur — Infinitif.
10. Durs — Planter des arbres.
11. Irlande — Thermocautère.
12. Restes — Océan.

Jeu 29

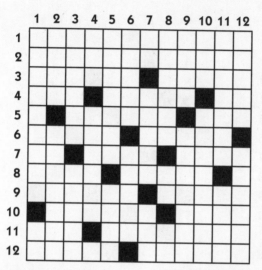

□ **Horizontalement** □

1. Inadmissible.
2. Désaveu.
3. Grillera — Tissu.
4. Lisse — Prénom masculin — Plutonium.
5. Nouveau — 102.
6. Lettre grecque — Prophète.
7. Satellite — Cheville — Escourgeon.
8. Oublie — Seul.
9. Ver marin — Existerai.
10. Attacheras — Étire.
11. Individu — Nourrit.
12. Vrais — S'absenter.

□ **Verticalement** □

1. Incursion — Zirconium.
2. Gaz rare — Sermon.
3. Séduit — Construit.
4. Hurlement — Écimée.
5. Capitale du Venezuela — Te rendras.
6. Enveloppe coriace — Agave du Mexique.
7. Platine — Grande chaîne de montagnes — Situé.
8. Implicite — Tibia — Molybdène.
9. Dieu solaire égyptien — Voltiger.
10. Unité élémentaire de capacité de stockage d'information —, Encaustiquèrent.
11. Mouvement acrobatique aérien qui consiste à faire une boucle dans un plan vertical — Contre.
12. Souci — Pratiquer l'élision de.

Jeu 30

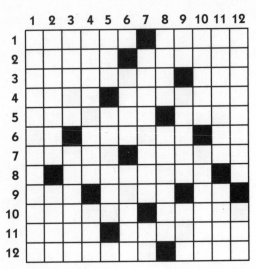

	1	2	3	4	5	6	7	8	9	10	11	12
1												
2												
3												
4												
5												
6												
7												
8												
9												
10												
11												
12												

▢ Horizontalement ▢

1. Lent — Tantes.
2. Fenêtre — Cru.
3. Serrer dans un corset — Poisson.
4. Tas — Signe d'autorité suprême.
5. Relatif au côté — Rayons.
6. Pronom anglais — Action de murer — Existes.
7. Distancée — Lunaire.
8. D'Arles.
9. Trois fois — Déchiffrées — Aux limites de la nuit.
10. Naturelles — 60 minutes.
11. Enlever — Cosmique.
12. Défier — Opposé à cela.

▢ Verticalement ▢

1. Repérage.
2. Épice — Greffa.
3. Reflétât — Monter, en parlant de la mer.
4. Convertisseur qui transforme la fonte en acier — Région couverte de dunes.
5. Terre — Rue étroite.
6. Empereur — Possédasse.
7. Bat — Praséodyme.
8. Tué — Chanteuse et danseuse japonaise.
9. Argon — Queue-de-rat — Et le reste.
10. Éprouva — Embête.
11. Tout petit parasite — Peur d'affronter le public.
12. Agités — Terre retournée.

Jeu 31

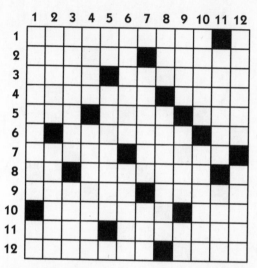

◻ Horizontalement ◻

1. Résume.
2. Cheval reproducteur — Arrivé.
3. Gentille — Condescendre.
4. Refuser un candidat — Obtenues.
5. Perroquet — Centrée — Préfixe.
6. Voisine de la perce-neige — Étain.
7. Éprouva — Projette.
8. Lien — Riche.
9. Volée — Religieux de l'ordre de Notre-Dame-du-Mont- Carmel.
10. Instrument de musique — Contesta.
11. Éclate — Sans déguisement.
12. Triade — Issues.

◻ Verticalement ◻

1. Faire changer de direction un rayon lumineux par le phénomène de la réfraction — Platine.
2. Canal — Superposer.
3. Commérages — Cutiréaction.
4. Hasard — Habitant de Rome.
5. Polonium — Variété de corégone.
6. Réévalue — Colosse.
7. Cercle qui entoure le mamelon du sein — Artère.
8. Canton de la Suisse — Femme svelte.
9. Se dit d'un navire sans chargement — Greffa — Manganèse.
10. Souci — Encerclée.
11. Pétard — Air.
12. Petit ours — Orifices d'un canal.

Jeu 32

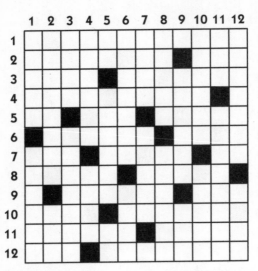

□ **Horizontalement** □

1. Quincailliers.
2. Débarrasser des pierres nuisibles — Issue.
3. Capitale du Pérou — Trottiner.
4. Reconnaître.
5. Venu au monde — Bruit sec — Banc.
6. Vraie — Prénom masculin.
7. Touché — Mortel — Lien.
8. Pessereau — Réveil.
9. Couche — Pose.
10. Oiseau — Inflammation de la peau.
11. Le revers de la médaille — Bout de la mamelle.
12. Du verbe avoir — Enlevées.

□ **Verticalement** □

1. Félidé — Surveillera.
2. Peau — Mois.
3. Retour du même son à la fin de deux vers — Du verbe avoir.
4. Largement ouverte — Stucco.
5. Lawrencium — Faire des tiges secondaires à la base de sa tige — Richesse.
6. Le — Étroitement collé.
7. Tendon — Écimé.
8. Nombre — Prévenu.
9. Liber du tilleul — Océan.
10. Vestibule — Copié.
11. Bramé — Voilier.
12. Promesse solennelle — Chevilles.

Jeu 33

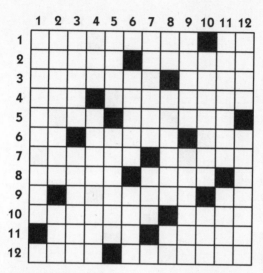

◻ Horizontalement ◻

1. Ayant — Nota bene.
2. Partir — Travail pénible.
3. Qui a deux côtés égaux — Affectionné.
4. Annélide — Passer un fil sur le bord d'un tissu pour l'empêcher de se défiler.
5. Terres — Gaéliques.
6. Article — Laboure — Fleuve d'Afrique.
7. Prénom masculin — Méprisé.
8. Vase sacré — Fournie.
9. Vespasienne — Lien.
10. Édifices religieux — Bronzé.
11. Prénom féminin — Gibbeux.
12. Jeune cerf — Sonder.

◻ Verticalement ◻

1. Favorisé.
2. Personne dont le métier est de prendre des oiseaux — Volonté.
3. Cellule reproductrice disséminée par certains végétaux — Frapper un arbre avec une gaule pour faire tomber les fruits.
4. Aride — Ester de l'acide stéarique et du glycérol.
5. Périodes — Embourbé.
6. Gain — Issues.
7. Aiguises — Envers.
8. Drame japonais — Fané — Brome.
9. Tiret — Forme du hindi.
10. Infamie — Armée.
11. Déesse de la vengeance — Anneau en cordage.
12. Être grand ouvert — Type qui lit.

Jeu 34

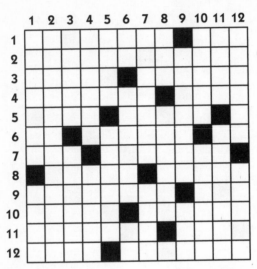

	1	2	3	4	5	6	7	8	9	10	11	12
1												
2												
3												
4												
5												
6												
7												
8												
9												
10												
11												
12												

◻ Horizontalement ◻

1. Cessera — Attaché.
2. Irritable.
3. Reculer — Céréale.
4. Oublier — Être grand ouvert.
5. Divinité protectrice chez les Romains — Air.
6. Lien — Publier — Germanium.
7. Rocher — Rugueuse.
8. Placée — Partie supérieure de l'os iliaque.
9. Préparer avec soin — Nommé.
10. Souple — Présentée.
11. Rues étroites — Engrais azoté.
12. Ventilé — Chiens d'arrêt.

◻ Verticalement ◻

1. Adjoindre — Parachutiste.
2. Spécialiste de rhumatologie.
3. Ronchonner — Relatif aux côtes.
4. Écimée — Cécidie.
5. Dommage — Gazole.
6. Obtenu — Souveraines — Existes.
7. Sourire d'un enfant — Cheville.
8. Blonde enivrante — Ère de l'Islam.
9. Permissif — Période d'accouplement.
10. Volage — Lapin.
11. Mille-pattes — Gardien de prison.
12. Entraîné — Multitudes.

Jeu 35

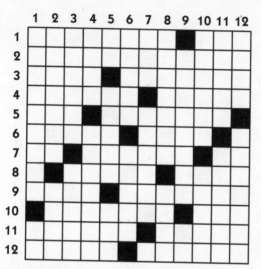

```
    1  2  3  4  5  6  7  8  9  10 11 12
 1
 2
 3
 4
 5
 6
 7
 8
 9
10
11
12
```

<table>
<tr><td colspan="2">

□ Horizontalement □

</td><td colspan="2">

□ Verticalement □

</td></tr>
</table>

□ **Horizontalement** □

1. Agir à l'encontre d'un devoir — Fabrication assistée par ordinateur.
2. Engourdissant.
3. Pharaon — Cornu.
4. Coffre — Durs.
5. Suffixe — Évaluée.
6. Récompense cinématographique — Prince musulman.
7. Coutumes — Bergers — Docteur.
8. Jeune saumon — Devise des Français.
9. Agitation — Tas non attachés.
10. Dresser un oiseau pour le vol — On les mentionne toujours avant les autres.
11. Soutire — Conduit.
12. Lagune — Établissements scolaires.

□ **Verticalement** □

1. Chacune des parties d'une publication qui paraît par tranches successives — Éminence.
2. Sels de l'acide oléique — Monophonique.
3. Grillées — Tableau.
4. Décampes — Calmer.
5. Argon — Caillé — Première femme.
6. Aperçus — Clameur.
7. Ancien parti politique du Québec — Salie.
8. Épéisme — Spiritueux.
9. Obéissantes — Molybdène.
10. Maquiller — Courant.
11. An — Grive.
12. Enlèves — Corpulentes.

Jeu 36

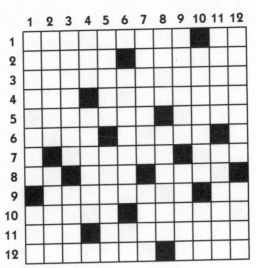

	1	2	3	4	5	6	7	8	9	10	11	12
1												
2												
3												
4												
5												
6												
7												
8												
9												
10												
11												
12												

◻ Horizontalement ◻

1. Maniable — Électronvolt.
2. Rebord plié — Raclage.
3. Retenir en soi.
4. Elle jacasse — Obérés.
5. Fatigué — Bride.
6. Du verbe avoir — Avoir un volume de.
7. Chaîne de montagnes — Conifères.
8. Existes — Boxeur — Vapeur d'un liquide en ébullition.
9. Estimation — Radium.
10. Aîné — Amulette.
11. Se rendra — Boîte à matière grise.
12. Appuie-tête — Cheminée.

◻ Verticalement ◻

1. À trois phases — Exprimé.
2. Réfutai — Pointage.
3. Dépourvus d'ailes — Élyme des sables.
4. Terre — Asiatique.
5. Traînes — Svelte.
6. Noté — Erbium.
7. Personne qui brode — Ardent.
8. Divinité protectrice chez les Romains — Partie gauche d'un navire lorsque l'on regarde vers l'avant.
9. Lettre en vers — Joindra.
10. Étoile de mer — Est couché.
11. Relatif à la mer Égée — Garnir de fer.
12. Coulées — Nid de l'aigle.

Jeu 37

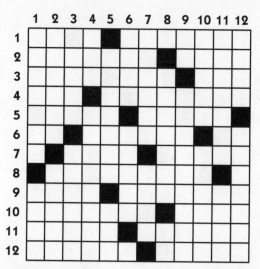

	1	2	3	4	5	6	7	8	9	10	11	12
1												
2												
3												
4												
5												
6												
7												
8												
9												
10												
11												
12												

◘ Horizontalement ◘

1. Urine — Endurer.
2. Nivelées — Note de service.
3. Répliquer — Pomme.
4. Roi de Juda — Blés.
5. Répit — Amers.
6. Erbium — Profession — Existes.
7. Un milliardième — Fatiguée.
8. Aimablement.
9. Abri de toile goudronnée — Sous-officier de l'armée.
10. Derniers — Guetté.
11. Vent du nord — Repas du soir.
12. Vu — Inventés.

◘ Verticalement ◘

1. S'exhiber — Instrument de musique à vent.
2. Chromatiser — Allure du cheval.
3. Relatif au Pape — Impartial.
4. Préfixe — Prunus.
5. Connaissance — Type.
6. Crâne — Méprisé.
7. Tenterai — Les officiers y mangent.
8. Tenir secret — Dialecte.
9. Éminence — Compositeur.
10. Galère — Toundra.
11. Amidonnes — Réfutée.
12. Souverains — Chiens d'arrêt.

Jeu 38

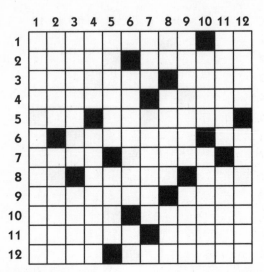

☐ Horizontalement ☐

1. Dépendance — Baryum.
2. Fruit de la ronce — Le revers de la médaille.
3. Charrue métallique — Silence !
4. Repassé — Galère.
5. Tenta — Affectueuse.
6. Éprouvais — Radium.
7. Pareil — Canard.
8. Lawrencium — De l'Ibérie — Agence spatiale européenne.
9. Machine à laver — Ornements en forme d'œuf.
10. Cornaline — Cercle.
11. Savourer — Chimpanzé.
12. Greffe — Imbéciles.

☐ Verticalement ☐

1. Embrouillement.
2. Certaines — Il crache le feu.
3. Lavallière — Coûte.
4. Partie charnue de l'oreille — Parcellisé.
5. Fruit juteux — Vapeur d'un liquide en ébullition.
6. Séjours dans un hôtel — Ricané.
7. Adresse — Bourgmestres.
8. Gallium — Escarpée — Grecque.
9. Louangé — État des États-Unis.
10. Minou — Songent.
11. Rouler sur soi-même — Prénom masculin.
12. Pilastre cornier — Nivelées.

Jeu 39

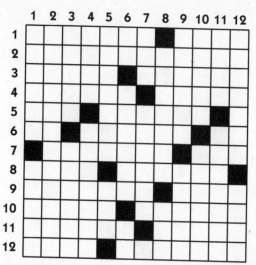

▢ Horizontalement ▢

1. Examine avec soin — Membre rattaché à l'épaule.
2. Fête.
3. Brun clair — Ventes au rabais.
4. Partie du pied — Occlusion intestinale.
5. Cheville — Emmailloter.
6. Obtenu — Courbant — Article étranger.
7. Distinguée — Habitant.
8. Café — Plaine irriguée.
9. Amaigrir — Irlande.
10. Sisymbre officinal — Chétif.
11. Accidenté — Frère du père.
12. Exister — Coulées.

▢ Verticalement ▢

1. Torpillé — Détourné.
2. Chèrement.
3. Accord — Décortiquer.
4. Comprend — Plaquage.
5. Dégourdi — Se rendra.
6. Sélénium — Carex — Romains.
7. Légumineuses — Essence.
8. Raffinée — Thor.
9. Danse figurée — Dos.
10. Flétrir — Affreux.
11. Bruit que fait un bébé lorsqu'il est bien — Constellé.
12. Dépourvu de pédicule — Issues.

Jeu 40

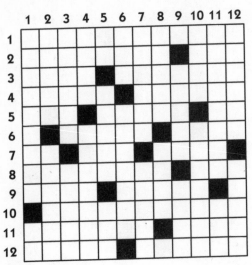

	1	2	3	4	5	6	7	8	9	10	11	12
1												
2												
3												
4												
5												
6												
7												
8												
9												
10												
11												
12												

◻ Horizontalement ◻

1. Polio.
2. Antipathie — Aride.
3. Furie — Il fabrique des violons.
4. Couvre-lit — Comprimé.
5. Pour repasser — Supplier — Hectomètre.
6. Moniteur — Fromage.
7. Quatre — Meuble de repos — Être grand ouvert.
8. Nœud d'un végétal — Sainte.
9. Tête de rocher — Du verbe avoir.
10. Entêtement.
11. Extrême — Touchée.
12. Quart d'une corde de bois — Ratissé.

◻ Verticalement ◻

1. On l'utilise pour fabriquer des bougies — Est anglais.
2. Elliptique — Électeur.
3. Aérienne — Instruit.
4. Colères — Campanile.
5. Tibia — Amoureux — Baudet.
6. Céréale — Chiens qui chassent les rats.
7. Juif — Syntoniseur.
8. Pénètre — Animal.
9. Gazon — Diffuse.
10. Épouse d'Osiris — Réensemence.
11. Gaminet — Sans valeur.
12. Sélectionné parmi les meilleurs — Greffée.

Jeu 41

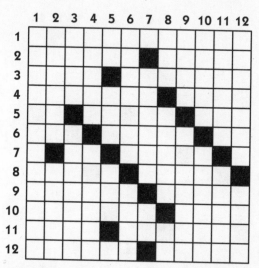

□ **Horizontalement** □

1. Initiateur.
2. Nouaison — Groupe religieux isolé.
3. Saisons — Faune et flore démersales.
4. Vocation — Nombre.
5. Ordinateur — Esquiva — Agence secrète.
6. Article — Construit — Dans.
7. Lien — Superposé.
8. État d'Asie — Enveloppe coriace.
9. Inertie — Écolier.
10. Pansement — Ivettes.
11. Clôture — Du verbe avoir.
12. Irrite — Gantelet pesant.

□ **Verticalement** □

1. Inutilisable.
2. Note — Métal blanc.
3. Assassinés — Réprimande.
4. De la Russie — Wagon.
5. Richesse — Ivette — Contesta.
6. Échec — Mer.
7. Essence d'un être — Obtenu.
8. Centrale syndicale du Québec — Chatouille — Scandium.
9. Tessons — Nivelle.
10. Insuccès — Écoliers.
11. Illusion — Narine des cétacés.
12. Demeurant — Estonien.

Jeu 42

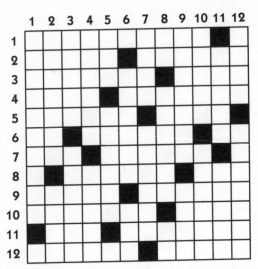

◻ Horizontalement ◻

1. Télé.
2. La Scala — Prénom masculin.
3. Louer de nouveau — Confession.
4. Occupé — Tendeur de pièges.
5. Approprié — Élan.
6. Bouquiné — Exaltation — À lui.
7. Hallucinogène — Douillet.
8. Conduite — République démocratique allemande.
9. Geindre — Dernière poche de l'estomac des oiseaux.
10. Bien dans sa peau — Aspirant.
11. Agha — Orchidée sans chlorophylle.
12. Homme très riche — Dévotion.

◻ Verticalement ◻

1. Action de torpiller.
2. Affolés — Traverse.
3. Luigi Riccoboni — Action de damer le sol.
4. Qui s'érode — Ruinas peu à peu.
5. Pièce qui supporte une voûte en construction — Chiffre.
6. Ergot des coqs — On les mentionne toujours avant les autres.
7. Étoffe drapée indienne — Poème.
8. Erbium — Usée — Opus.
9. Utilisatrice — Veuve qui s'immolait sur le bûcher funéraire de son mari.
10. Imaginer — Mélancolique.
11. Nouveaux — Tristesse.
12. Fortune — Gâtée.

Jeu 43

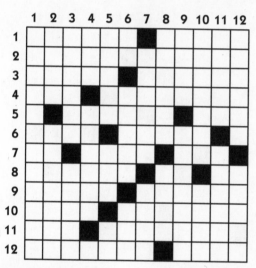

❐ Horizontalement ❐

1. Souhaite — Masses de neige durcie.
2. Flatulence.
3. Prénom masculin — Perspicacité.
4. Problème — Créneler.
5. Aéra — Sudiste.
6. Paysage — Encaustiquée.
7. Étain — Te rendras — Cheville.
8. Équivalentes — Note — Neptunium.
9. Tas de foin — Clairvoyant.
10. Anneau en cordage — Déchirer.
11. Issus — Avalèrent d'un trait.
12. Lesbienne — Cheville.

❐ Verticalement ❐

1. Stupéfaction.
2. Malpropre — Avaler.
3. Pétition — Itou.
4. Terre retournée — Hier.
5. Circulaire — Bramé — Cela.
6. Dans — Repas léger — Palefrenier.
7. Riches — Malpropre.
8. Breuvage des dieux — Visage.
9. Touchée — Tablette.
10. Soirée — Mesures agraires.
11. Greffée — Résine aromatique.
12. Stéréophonie — Gaspillage.

Jeu 44

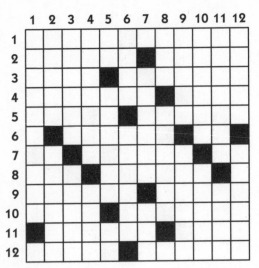

◻ Horizontalement ◻

1. Croquemitaines.
2. État d'Amérique du Sud — Stop.
3. Reine des fleurs — Substance organique du groupe des scléroprotéines.
4. Attirance — Obscur.
5. Dieu marin — Amoureuse.
6. Têtu — Note.
7. Interjection — Moustique — Fermium.
8. Tenta — Sculptures indiennes.
9. De l'Ionie — Courriel.
10. Bride — Mousseline imitant la guipure.
11. Tenrec — Gaz rare.
12. Répit — Inactif.

◻ Verticalement ◻

1. Serpe servant à ébrancher les arbres.
2. Contremaître dans un atelier d'imprimerie au plomb — Plante lacustre.
3. Mouche — Annuel.
4. Détériorèrent — Victoire de Napoléon.
5. Six — Pierre d'aigle — Ricané.
6. Alliage — Essuyé.
7. Position — Pas ailleurs.
8. Amas — Mélangées.
9. Patinoire — Conduit.
10. Marcherions — Assaisonner.
11. Adoucissant — Petite île.
12. Quart d'une corde de bois — Bouillon-blanc.

Jeu 45

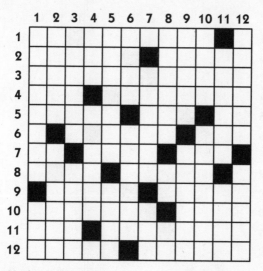

◻ Horizontalement ◻

1. Rabibocher.
2. Perdue — Girasol.
3. Différencier.
4. Prénom féminin — Indécis.
5. Faible — Écrivain américain — Deux romains.
6. Douceâtre — Procris.
7. Patrie d'Abraham — Pichet — Baudet.
8. Quittance — Colosse.
9. Partie du pied — Ale.
10. Tempérés — Orignal.
11. Bison — Divaguer.
12. Astre — Cercle qui entoure le mamelon du sein.

◻ Verticalement ◻

1. Il travaille derrière le marbre — Transmuta.
2. Pite — Rusé.
3. Fanfaron — Benjamin.
4. Se rendra — Cotylédon.
5. Appareil de séchage — Calendrier liturgique.
6. Crâne — Heurtée.
7. Race — Jacuzzi.
8. Passereau — Début d'abcès — Argon.
9. Cheville de bois — Conductrice d'ânes.
10. Ennuya — Intellectuel.
11. Homme politique russe — Claude Vorilhon.
12. En troisième lieu — Espèce.

Jeu 46

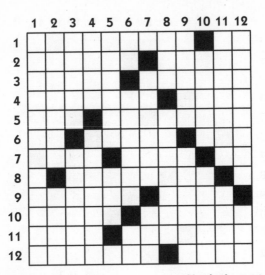

▢ Horizontalement ▢

1. Orner de festons — Rubidium.
2. Entame — Nouer.
3. Papillon — Guêpe.
4. Attention — Petite île.
5. Attaché — Distraction.
6. Pronom anglais — Niveau — Et le reste.
7. Éventa — Redevance annuelle due par le tenancier au seigneur — Interjection.
8. Diminuer.
9. Avalé — Prénom masculin.
10. Auditoire — Parapluie.
11. Équivalent — Parc à moules.
12. Traître — Cheville.

▢ Verticalement ▢

1. S'accoutumer (Se).
2. Caoutchouc durci — Papillon.
3. Espèce — Pardessus.
4. Divisé — Ver marin.
5. Olfaction — Mesure agraire.
6. Venu au monde — Amaigri — Se rend.
7. Analyses — Terme d'échecs.
8. Nommé — Judicieuses.
9. Plante dont on tire une fibre textile — État d'Europe.
10. Gaélique — Ricanements.
11. Outil pourvu d'une pointe tranchante et recourbée — Durillons.
12. Ouvrage de fortification en saillie sur une façade pour en renforcer la défense — Communauté économique européenne.

Jeu 47

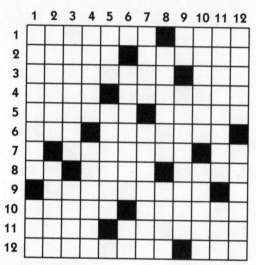

	1	2	3	4	5	6	7	8	9	10	11	12
1												
2												
3												
4												
5												
6												
7												
8												
9												
10												
11												
12												

❑ Horizontalement ❑

1. Fertilisant — Colocase.
2. Embellir — Voiler.
3. Qui a rapport à l'urine — Explosif.
4. Prénom féminin — Riz indien.
5. Session — Pus.
6. Société de construction électrique allemande — Épuisé.
7. Amoureuses — Note.
8. À toi — Premières — Sommet d'un organe.
9. Prière.
10. Suite — Relatif au rayon.
11. Bord d'un bois — Dont la durée est longue.
12. Cours des événements — Trois fois.

❑ Verticalement ❑

1. Éreintant — Idiot.
2. Racontée — Apéritif.
3. Maquillage — Bruit que fait un bébé lorsqu'il est bien.
4. Philosophe français — Merisier à grappes.
5. Perroquet — Encerclée.
6. Hispanique — Plutonium.
7. Deviendra — Enlever l'eau.
8. Jésus-Christ — Arriéré.
9. Terbium — Entretoit.
10. Tellement — Décrit.
11. Personne qui possède des rentes — Baudet.
12. Plante couverte de poils fins — Déporter.

Jeu 48

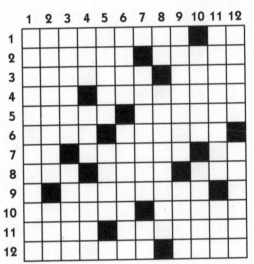

□ **Horizontalement** □

1. Titrer — À moi.
2. Rendre chatoyant — Nasillard.
3. Bâillonner — Sonné autour du ring.
4. Richesses — Cancer.
5. Grand filet de pêche — Gazer.
6. Irlande — Comprimer.
7. Note — Préceptes — Édouard.
8. Agence spatiale européenne — Enrouement — Grecque.
9. Femelle du merle.
10. Usée jusqu'à la corde — Signe en forme de S couché.
11. Fête suivant un mariage — Gâter par la nielle.
12. Vaciller — Épreuve.

□ **Verticalement** □

1. Excessivement.
2. Alimentées — Règle.
3. Ficeler — Pallium.
4. Colère — Gelée des eaux — Oiseau.
5. Pareille — Se trompe.
6. Engrais azoté — Se dit d'un triangle quelconque.
7. Maladie virale éruptive — Infinitif.
8. Dans — Coiffure de certaines religieuses.
9. Révoltés — Terme de billard électrique.
10. Total — Bêche.
11. Façons — Cubes.
12. Ville d'Algérie — Éloquent.

Jeu 49

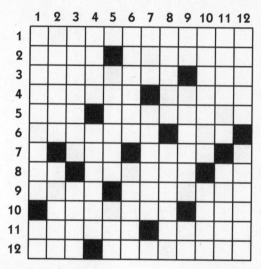

1. Vantardise.
2. Ouverture donnant passage à l'eau — Atténuer.
3. Collecter — Hurlement.
4. Singes — Futé.
5. Affirmes — Cisaillement.
6. Prénom masculin — Habitant.
7. Cent — État d'Asie.
8. Note — Lieu où le grand gibier va se sécher après la pluie — Ricané.
9. Périodes — Pièce de l'écu en forme de pointe triangulaire.
10. Habitant de Rome — Évangéliste.
11. Petit chien d'agrément — Meurtre.
12. Terre — Carburants.

1. Courant alternatif obtenu par induction — Ici.
2. Terrain déboisé non essouché — Course motocycliste.
3. Déesse de la vengeance — Exister.
4. Fidèle — Relatif au dos.
5. Agité — Attaché.
6. Devenir moins frais, en parlant du pain — Mamelles.
7. Poème — Secousse.
8. Règle — Légère différence.
9. Dévêtu — Son génie est célèbre — Radon.
10. Applaudi — Bruit de la souris.
11. Mène — Rhinite.
12. Instrument chirurgical — Filles du frère.

Jeu 50

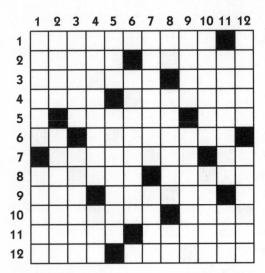

☐ Horizontalement ☐

1. Philosophie ou religion qui s'appuie sur des vérités jugées incontestables en rejetant la critique.
2. Saule — Trempée.
3. Magnétophone — Nommés.
4. Aussi — Tréfilage.
5. Hybride d'une lionne et d'un tigre — Terre.
6. Aluminium — Mélange naturel de nitrates.
7. Séminaires — Sodium.
8. Aiguisée — Mule.
9. Annélide — Arbuste ornemental.
10. Agacée — Céleri-rave.
11. Divinité — Langue dravidienne.
12. Se trompe — Matin.

☐ Verticalement ☐

1. Maîtrisa — Vorace.
2. Tentât — Déchirer.
3. Jambe de derrière d'un cheval — Arriver près de la côte.
4. Charpenter — Suffixe.
5. Mesure agraire — Tortilla.
6. Format de papier.
7. Chacun des éléments de même numéro atomique, mais dont les noyaux n'ont pas le même nombre de neutrons — Montagne de Grèce.
8. À lui — Dépourvu d'épines — Astate.
9. Transmuter — Raz de marée.
10. Foudre — Précepte.
11. Protozoaire flagellé — Conspue.
12. Blessée — Accroché des wagons.

Jeu 51

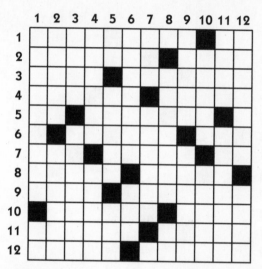

▭ Horizontalement ▭

1. Travailler fort — Édouard.
2. Méduse des mers — Greffe.
3. Fis confiance (Te) — Sangle attachée à la naissance de la queue du cheval pour empêcher le harnais de glisser.
4. Sodomise — Séraphins.
5. À toi — Instrument de mesure formé de deux règles graduées.
6. Coin caché, en retrait — Époque.
7. Prénom féminin — Léopards des neiges — Est anglais.
8. Son huile est employée comme purgatif — Pygargue.
9. Irlande — Type qui tient une mercerie.
10. Conclut — Appela de loin.
11. Remplie — Tas de foin.
12. Donne un troisième labour — Tourmentin.

▭ Verticalement ▭

1. Percolateur — Platine.
2. Anéantit — Masculine.
3. Spiritueux — Orner d'un racinage.
4. Volcan d'Italie — Délateur.
5. Aluminium — Précepte — Seule.
6. Orateur romain — Intérieur du pain.
7. Euh — Œuf factice.
8. Il laine le drap — Moi.
9. Souveraine — Petit sac.
10. Noir — Ricaneur.
11. Exister — Châssis à claire-voie.
12. Pétards — Claude Vorilhon.

Jeu 52

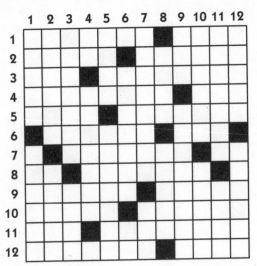

▢ Horizontalement ▢

1. Bravoure — Palmier.
2. Ensuite — Tenir pour vrai.
3. Issue — Oppresser.
4. De l'Artois — Attacha.
5. Bacon — Sans déguisement.
6. Ordonner — Adresse.
7. Odeur — Article étranger.
8. Interjection — Mener une vie plus calme.
9. Déchiffre — Enveloppe coriace.
10. Posé sur la Lune — Rendre visuel.
11. Kolkhoz — Bruyant.
12. Exorbitant — Se trompe.

▢ Verticalement ▢

1. Chaîne — Dame.
2. Opérettes — Escargot.
3. Canaux excréteurs — Gratta.
4. Note — Duvet.
5. Enzymes — Nouvelle.
6. Cabinet d'aisances — Argon.
7. Répugnée — Arbre d'Amérique tropicale.
8. Signe graphique des écritures runiques — Théologien musulman.
9. Fédération qui a existé de 1895 à 1958 — Étang.
10. Limer avec un riflard — Écumer.
11. Épuisé — À eux.
12. Onguent à base de cire et d'huile — Plante grimpante.

Jeu 53

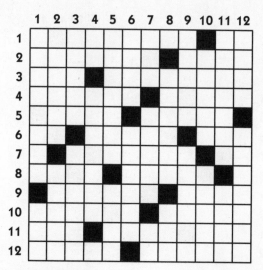

□ **Horizontalement** □

1. Ébrèchent — Canadien National.
2. Doser — Ventilé.
3. Céréale — Dégourdie.
4. Mets suisse — Veto.
5. Envol — Seigneurs.
6. Cale — Orifices d'un canal — Monnaie du Japon.
7. Comprimées — Voyelles.
8. Prénom masculin — Populace.
9. Affinité — Petite île.
10. Personne chargée de plier une matière souple — Construit.
11. Rongeur — Arpenteur.
12. Inflammation de l'oreille — Futées.

□ **Verticalement** □

1. Assembler obliquement deux pièces de bois — Professionnel.
2. Agar-agar — Bruit.
3. Affaiblies — Pays.
4. Obtenu — État d'Afrique.
5. Canaux excréteurs — Mulet.
6. Troisième fils de Jacob — Sucé.
7. Époque — Cippe — Richesse.
8. Chromatisée — Touché.
9. Meurtrir — Hommes de main.
10. Sylphes — Gratin.
11. Approfondie — Géant vorace.
12. Issues — Tressées.

Jeu 54

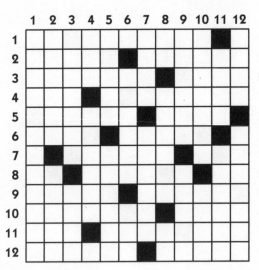

❐ Horizontalement ❐

1. Bordel.
2. Entrées en bois — Plante tropicale vivace.
3. Couche de sauce — Colères.
4. Situé — Alcaloïde de l'opium.
5. De la tribu — Oublie.
6. Victoire de Napoléon — Anhélation.
7. Bois noirs — Jacuzzi.
8. Argon — Étranger — Richesse.
9. Épuisant — Glapir.
10. Noie — Fit le mouton.
11. Ceinture japonaise — Ôter les pépins d'un fruit.
12. Paniers pour la pêche — Prénom masculin.

❐ Verticalement ❐

1. Difficulté dans l'évacuation des selles.
2. Instrument agricole — Danse cubaine.
3. Enzyme du suc gastrique — Alliés.
4. Pour appeler — Lèvre.
5. Posture de yoga — Vestibule.
6. Courtois — Système de localisation.
7. Contester — Trouée.
8. Argent — Agent diplomatique — Pascal.
9. Qui vient en premier, immédiatement après une dizaine, une centaine, un millier — Langue.
10. Unies — Accroche.
11. Ne dit pas la vérité — Se marrer (Se).
12. Appuyé — Marbre blanc très estimé.

Jeu 55

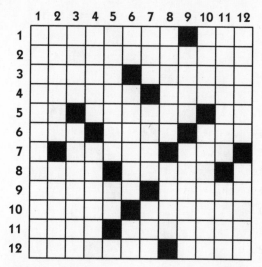

	1	2	3	4	5	6	7	8	9	10	11	12
1												
2												
3												
4												
5												
6												
7												
8												
9												
10												
11												
12												

◻ Horizontalement ◻

1. Bénéfices — Ride.
2. Révision.
3. Campagnard — Lavabos.
4. Élargir à l'extrémité — Averse.
5. Germanium — Absence d'urine dans la vessie — Tour.
6. Affaibli — Divisé — Saison.
7. Courbât — Terme de tennis.
8. Ennui — Étiquette.
9. Enlève — Sauna.
10. Image sainte — Habitation.
11. Brin — Joueur de batterie.
12. Impérissable — Anneau en cordage.

◻ Verticalement ◻

1. Inégalité.
2. Nouvelles — Conte.
3. Un billion — Bande d'étoffe ornementale portée à l'épaule gauche de la robe.
4. Élargit une ouverture — Procéder au lainage de.
5. Freiné — Note.
6. Article étranger — Campagnarde — Béryllium.
7. Assassiné — Prénom féminin — Mauvais.
8. Département français — Content.
9. Cuvette — Pierre d'aigle.
10. Douze pouces — Sasser.
11. Courtisane — Pronom personnel.
12. Intercalé — Espèce.

Jeu 56

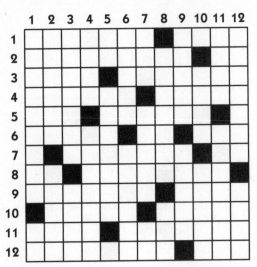

◻ Horizontalement ◻

1. Décliner — Peur d'affronter le public.
2. Petit du renard — Note.
3. Difficile — Doigts de pied.
4. Relatif à la queue — Éprouvettes.
5. Opéré — Plante potagère.
6. Caillé — Patrie d'Abraham — Monnaie du Japon.
7. Batifoler — Carat.
8. Interjection — Entêter (S').
9. Isolée — Palourde.
10. Cheville de fer — Casse.
11. Non cuite — Partie de l'armure qui protégeait le pied.
12. Toit vitré — Légumineuses.

◻ Verticalement ◻

1. Briser — Curriculum vitae.
2. Ventilation — Fouteau.
3. Généraliser — Tribunal.
4. Unité de mesure de la vitesse de modulation d'un signal — Donner.
5. Lawrencium — Écrasé.
6. Célébrité — Mouche.
7. Métro — Combat — Richesse.
8. Fini par arriver — Céréale.
9. Meurtrier — Sépia.
10. Oiseau échassier — Choisir.
11. Rendu visite — Aplatir.
12. Fragile — Plats.

Jeu 57

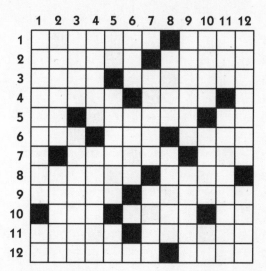

☐ Horizontalement ☐

1. Bavarder — Ne dit pas la vérité.
2. Prière — Savante.
3. Aven — De l'Acadie.
4. Trois pieds — Bord d'un bois.
5. Radon — Sériel — Plomb.
6. Suffixe — Région couverte de dunes — Équivalent.
7. Sobre — Colère.
8. Bourrasque — Astronome néerlandais.
9. Fugitif — Omis.
10. Terme de tennis — Guetté — Tour.
11. Risques — Tentatives.
12. Cire d'oreille — Sylphe.

☐ Verticalement ☐

1. On y met du poivre — Actinium.
2. Monnaie — Ingurgité.
3. Frousse — Enlever.
4. Lettre grecque — Jangada.
5. Caché — Chaume — Samarium.
6. Agence spatiale européenne — Escourgeon.
7. Tambour ou danse — Tournoi ouvert aux professionnels et aux amateurs.
8. Soldat français — Prénom masculin.
9. Mannequin — Gros.
10. Prophète hébreu — Danseuse de music-hall — Aluminium.
11. Issue — Relatif à une entité non dénombrable.
12. Tolérable — Anneau en cordage.

Jeu 58

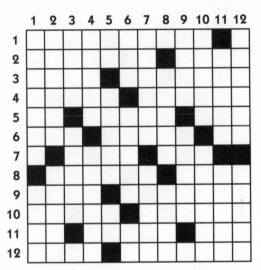

◻ Horizontalement ◻

1. Torturer.
2. Déserter — Géniteur.
3. Fort mince — Pâturer.
4. Griffe — Ouverture du nez.
5. Pronom anglais — Attachais — Bramé.
6. Supplément — Signe d'altération musicale — Article étranger.
7. Cours d'eau temporaire — Saison.
8. Coq de bruyère — Aspirant.
9. Étoffe drapée indienne — Transformer en ions.
10. Céréales — Commune.
11. Opus — Abrasif — Monnaie du Japon.
12. Personnes — Jeton.

◻ Verticalement ◻

1. Mauvais fusil — Brouillard.
2. Aéra — Espion.
3. Degré — Colons d'Afrique du Sud d'origine néerlandaise.
4. Bateau de couple — Pratiques.
5. Obtenu — Canard — Préfixe.
6. Pied de vigne — Épaulai — Lien.
7. Papillon — Réservé.
8. Brise — Viens au monde.
9. Traverse — Métal blanc.
10. Gouverner — Tente.
11. Prénom féminin — Éplucher.
12. Déréistique — Prénom féminin.

Jeu 59

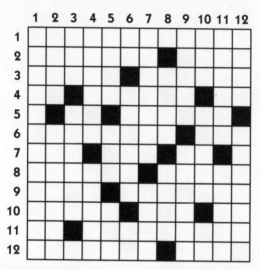

□ **Horizontalement** □

1. Incroyable.
2. Sans déguisement — Obscurité.
3. Mamelon du sein — Fou.
4. Erbium — État d'Europe — Est anglais.
5. Béryllium — Alarme.
6. Capitale de la Pologne — Légumineuses.
7. Terre retournée — Existence — Aluminium.
8. Rayée — Conduit.
9. Hautain — Se détendre.
10. Ardents — Stupide — Note.
11. Sans quoi — Spinal.
12. Toute-épice — Diffuse.

□ **Verticalement** □

1. Inversion.
2. Nuancer — Nonchalant.
3. Démonstratif — Bride.
4. Oubliées — De l'Ibérie.
5. Nichon — Ornement architectural — Arbre de l'Inde.
6. Canadien National — Petit plat creux pour servir un hors-d'œuvre — Chlore.
7. Instaurée — Boëtte.
8. Attachée — Alliage.
9. Conducteur d'ânes — Praline.
10. Avalée — Service télégraphique — Préfixe.
11. Relatif au lin — Dieu marin.
12. Saisons — Mesurent au stère.

Jeu 60

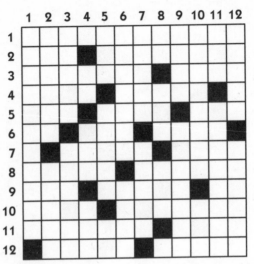

□ **Horizontalement** □

1. Précurseur.
2. Elle jacasse — Du vent.
3. Huile minérale naturelle — Déchiffrées.
4. Geste posé — Faire un lob.
5. Bramé — Puissance surnaturelle — Agence spatiale européenne.
6. Existes — Individu — Carré.
7. Appuyée — Dictionnaire.
8. Marais du Péloponnèse — Équerre.
9. Il — Écimé — Télévision.
10. Volcan de Sicile — Exaspérée.
11. Recomposer — Se dit d'un hareng fumé et salé.
12. Encre de la seiche — Choc.

□ **Verticalement** □

1. Coupler.
2. Filles du frère — Du verbe avoir.
3. Claire — Monarque.
4. Note — Secte bouddhique — Sculpteur français.
5. Nouveau — Pariée — Deux romains.
6. Scellage — Un billion.
7. Partie de l'intestin grêle — Bois noir.
8. Possède — Pour récupérer — Suffixe.
9. Télévision — Opposé.
10. Incontinence — Pièce qui supporte une voûte en construction.
11. Seule — Cisaille.
12. Demeura — Réceptif.

Jeu 61

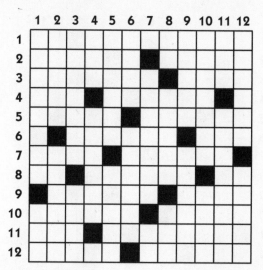

	1	2	3	4	5	6	7	8	9	10	11	12
1												
2												
3												
4												
5												
6												
7												
8												
9												
10												
11												
12												

❐ Horizontalement ❐

1. Arrêt.
2. Pourrie — Mammifère qui se nourrit de pousses de bambou.
3. Reproduire frauduleusement, sans payer de droits — Être grand ouvert.
4. Tenta — Huer.
5. Demeuré — Bagarre.
6. Souverain ottoman — Colère.
7. Mer — Dépassé.
8. Ruisselet — Idéales — Avant-midi.
9. Étêtée — Enveloppe.
10. Imaginaire — Berger.
11. Prénom féminin — Colluvion.
12. Analyse — Mets suisse.

❐ Verticalement ❐

1. Introduire dans son pays — Terre.
2. Querelle — Jachère.
3. Filet servant à capturer des cailles — Terrain caillouteux.
4. Agence spatiale européenne — Massacre.
5. Conforme aux rites — Homs.
6. Vrai — Taché.
7. Garnie de rubans — Docteur.
8. Jumelles — Projette — Comité international olympique.
9. Forme de syphilis — Langue de terre.
10. Inaction — Du verbe avoir.
11. Poème — Décoraient.
12. Ouverture du nez — Fabulé.

Jeu 62

	1	2	3	4	5	6	7	8	9	10	11	12
1										■		
2								■				
3					■							
4							■					
5					■						■	
6					■							■
7							■					
8		■							■			
9								■				
10					■							
11	■						■					
12				■								

◘ Horizontalement ◘

1. Radinerie — Satellite.
2. Sel de l'acide uranique — Redevance annuelle due par le tenancier au seigneur.
3. Vivacité — Répugnant.
4. Lustrer — Pas un.
5. Pronom anglais — Épuisé.
6. Démonstratif — Bougent.
7. Principe odorant de l'iris — Iranien.
8. Madrépore — Première femme.
9. Viande crue — Acide.
10. Traverse — Composé possédant une même formule brute qu'un autre, mais ayant des propriétés différentes.
11. Écimé — Crié, en parlant du cheval.
12. Direction — Envahis.

◘ Verticalement ◘

1. Juriste spécialiste du droit public.
2. Agacer — Sommet d'un organe.
3. Viens au monde — Philosophe grec.
4. Haute théologie — À nous.
5. Radium — Vagabondera — Titane.
6. Allongée — D'Arius.
7. Un centième de sievert — Athées.
8. Livre — Interjection servant à appeler.
9. Obéir — Habitants.
10. Apologie.
11. Injuste — Débit de boissons réservé aux hommes.
12. Tentent — Ver marin.

Jeu 63

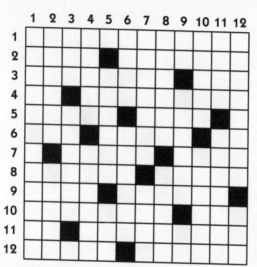

❑ Horizontalement ❑

1. Accidentellement.
2. Traverse — Réparer.
3. Habitant — École.
4. Brome — Relatif aux lois de Mendel.
5. Île au nord de Montréal — Table de boucher.
6. Vent — Avens — Interjection.
7. Ventiler — Volière.
8. Mépriser — Barreau.
9. Saisons — Câble qui retient un navire.
10. Retentir — Armée.
11. Dans le vent — Relève.
12. Individus — Greffées.

❑ Verticalement ❑

1. Quincaillerie.
2. Exécutai — Enlèvent.
3. Tondu — Réelles.
4. Peina — Extrait l'eau.
5. Frénésie — Issus.
6. État d'Asie — Dirigeant.
7. Raidisseur — Maman.
8. Têtu — Possesseur du titre de noblesse entre celui de chevalier et celui de vicomte.
9. Molybdène — Voyou — Note.
10. Réveil — Asperge.
11. Nichon — Géante vorace.
12. Sectionnée — À toi.

Jeu 64

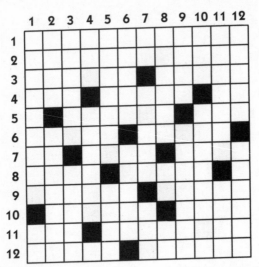

◻ Horizontalement ◻

1. Dévalorisation.
2. Atroce.
3. Répéter — Décorer.
4. Roi de Juda — Possède sexuellement — Conifère.
5. Dispositif à lettres et à chiffres — Années.
6. Plante grimpante — Prophète hébreu.
7. Année — Non cuite — Ancienne Union soviétique.
8. Oiseau — Quart d'une corde de bois.
9. Vagabondera — Pas dure.
10. Couple — Caste.
11. Monnaie du Japon — Pécaire.
12. Posture de yoga — Tamisés.

◻ Verticalement ◻

1. Étalage — À lui.
2. Inflorescences — Dépourvus d'épines.
3. Auberge espagnole — Patinoire.
4. Ruisselets — Dépassé.
5. Aérer — Élima.
6. Destruction progressive du tissu osseux — Emploi.
7. Dans le vent — Calme — Possédés.
8. Toilettes féminines — Éminence — Cela.
9. Arriéré — Bisons.
10. Fils arabe — Myrtilles.
11. Esters de l'acide oléique — Divinité protectrice chez les Romains.
12. Tendons — Séquences de film.

Jeu 65

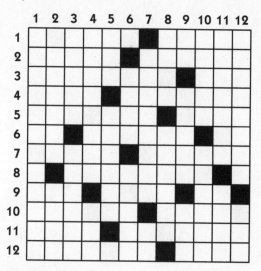

□ **Horizontalement** □

1. Vendre à bas prix — Podium.
2. Courant — Crépuscule.
3. Enfiler une seconde fois — Base d'une science.
4. Néant — Amaigrir.
5. Câble — Femme et sœur de Zeus.
6. Lui — Dorage — Est anglais.
7. Maladie due au bacille de Hansen — Réfutas.
8. Ramener.
9. Volcan — Astronome néerlandais — Satellite.
10. Sans fard — Possédasse.
11. Frère d'Abel — Milieu favorable.
12. Tenter — Grand lac.

□ **Verticalement** □

1. Vigilance.
2. Argent — Transpiras.
3. Jour — Jurés.
4. Protéger — École.
5. Terre retournée — Varech.
6. À eux — Morceau de terre compacte.
7. Rester — Erbium.
8. Deviendra — Doter d'une rente.
9. Dialecte — Yeuse — Bison.
10. Clayon — Chromatiser.
11. État d'Afrique — Tentai.
12. Sali — Obtenue.

Jeu 66

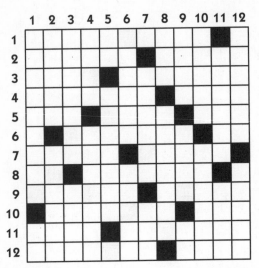

□ **Horizontalement** □

1. Il travaille à l'entretien des routes.
2. Glande génitale femelle — Catastrophe.
3. Obscur — Élargir un trou pour y faire entrer une vis.
4. Supportable — Donne.
5. Époque — Lambin — Obtenue.
6. Butins — Nazi.
7. Garnis un voilier — Iodle.
8. Interjection — Glace.
9. Tâte de nouveau — Trois pieds.
10. Absence de tout bruit — Richesses.
11. Va en arrière — Mise en éveil.
12. Sidérale — Affaiblie.

□ **Verticalement** □

1. Aller vers un même point — Cela.
2. Faire marcher — Singe.
3. Ingénuité — Terme de billard électrique.
4. Imprima — Savourer (Se).
5. Richesse — Zézaiement.
6. Fruits du néflier — Corruptible.
7. Peintre français — Solution.
8. Chaîne de montagnes — Découverte.
9. Prénom masculin — Certaine — Ruisselet.
10. Tondue — Loirs.
11. Animal marin transparent — Équipé.
12. Dirigées — Appuyée.

Jeu 67

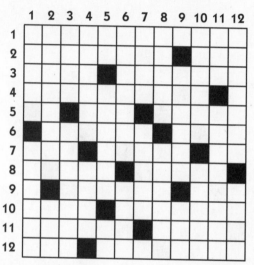

□ **Horizontalement** □

1. Reprisage.
2. Fausses — Deux fois.
3. À eux — Motifs.
4. Enquêteur.
5. Voyelles — Agence de presse américaine — Flétrie.
6. Case — Obstiné.
7. Dynamisme — Sec — Ancien conjoint.
8. Rebord plié — Hadron formé d'un quark et d'un antiquark.
9. Habitant d'une oasis — République démocratique allemande.
10. Prince musulman — Propre à la grippe.
11. Bille de bois — Construit.
12. Posséda — Cellules nerveuses.

□ **Verticalement** □

1. Rattache — Oraison.
2. Sablonneuse — Pas dur.
3. Non apprêtés — Supplément.
4. Recueil de textes concernant un sujet — Bacon.
5. Nous — Surveillais — Dans le vent.
6. Personne qui tient une mercerie — Ardent.
7. Orifice d'un canal — Faire des vers.
8. Saule — Nier.
9. Conséquences — Professionnel.
10. Entame — Sedum.
11. Alcool — Corde à linge.
12. Supports — Bières.

Jeu 68

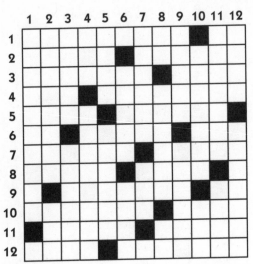

☐ Horizontalement ☐

1. Teindre de nouveau — Redevable.
2. Construit — Complet.
3. Officier de police judiciaire — Baie.
4. Enlevé — Ruinée.
5. Produit de l'abeille — Rendre la pareille à.
6. Apostille — Vil — Terre.
7. Amaigri — Individus.
8. Claire — Divisé.
9. Rassembler — Ricané.
10. Parsemer d'étoiles — Fond d'un parc à huîtres.
11. Amers — Parfait.
12. Mer — Pale.

☐ Verticalement ☐

1. Prix.
2. Sensualité — Graffiti.
3. Imprimée — Affreux.
4. Le moi — Relatif au lait.
5. Victoire de Napoléon — Instrument à cordes.
6. Désir — Spolia.
7. Déréistique — Lancer.
8. Radon — Conductrice d'ânes — Lui.
9. Mare — Monologue.
10. Honnête — Démonstratif.
11. Convoitée — Regimbât.
12. Engrais azoté — Argent.

Jeu 69

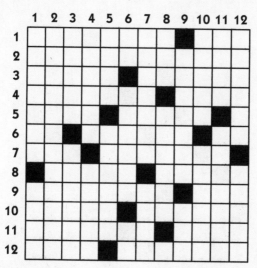

1. Aspirant — Bastide.
2. Par chance.
3. D'Arius — Décente.
4. Tresse — Raire.
5. Caducs — Ripaille.
6. Lui — Stérilisée — Polonium.
7. Habitation — Entaille.
8. Faisceau de crins — Muse.
9. Épongées — Titre.
10. Souveraine — Débris d'une bouteille.
11. Poignarder — Organe du vol.
12. Périodes — Berner.

1. Auburn — Anneau en cordage.
2. Hovercraft.
3. Gêner — Veut.
4. Dompte — Ville de Tunisie.
5. Victoire de Napoléon — De Troie.
6. Redevable — Poste-frontière — Article
   étranger.
7. Dominé — Exister.
8. Cheville — Formation.
9. Faiseur de mariages — Poisson.
10. Dirigée — Devenir moins frais, en parlant
    du pain.
11. Pilastre cornier — Partie étroite qui unit
    le limbe à la tige.
12. Stéréophonie — Décorer.

Jeu 70

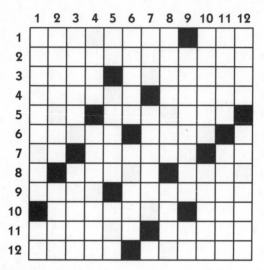

◻ Horizontalement ◻

1. Saucisson — Classification pour l'huile.
2. Irrégulièrement.
3. Appuya — Serrure qui s'ouvre aussi bien de l'intérieur que de l'extérieur.
4. Truqué — Sélectionnés.
5. Prière — Derniers.
6. Donne un troisième labour — Dans le pastis.
7. Erbium — Réflexion — Cuivre.
8. Tondue — Dieu de l'amour.
9. Il élabore l'urine — Élément entrant dans la production d'un bien.
10. Huitante — Monseigneur.
11. Acheteur — Bouton à fleur du câprier.
12. Espèce — Fondeur.

◻ Verticalement ◻

1. Arnaqueur — Centigramme.
2. Agacer — Dieu des vents.
3. Églantier — Son huile est employée comme purgatif.
4. En désordre (En) — Faire des crans à.
5. Éminence — Conspuées — Baudet.
6. Étiquette — Simule pour tromper.
7. Blonde enivrante — Don.
8. Cloaque — Arbre d'Asie tropicale.
9. Bombarder — Possède.
10. Suites — Se traîne.
11. Grande chaîne de montagnes — Pertinent.
12. Saisons — Lisser.

Jeu 71

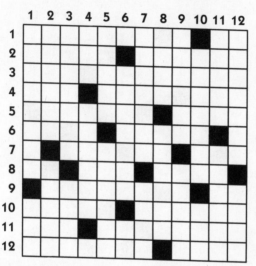

◻ Horizontalement ◻

1. Unité de mesure de l'activité d'un radionucléide — Gadolinium.
2. Mer — Allongée.
3. Antichrèse.
4. Eux — Repu.
5. Action de meuler — Firmament.
6. Se trompe — Affectées.
7. Élargir à l'extrémité — Trois fois.
8. À toi — Planche — Au bras de.
9. Proposée — Note.
10. Choisir — Pas large.
11. Dynastie chinoise — Fournir de nerfs, en parlant d'un tronc nerveux.
12. Corps étranger qui pénètre accidentellement sous la peau — Ventilé.

◻ Verticalement ◻

1. Bobard — Interjection servant à appeler.
2. Décortiquer — Vipère.
3. Coupure de presse — État américain.
4. Arbuste du Yémen — Chargement.
5. Joindra — Irriter.
6. Prudence — Néodyme.
7. Réensemence — Bride.
8. Saisons — Aigle d'Australie.
9. Loche — Apercevra.
10. Tient bon — Ornement architectural.
11. Prodige — Pousser un cri (S').
12. Mener une vie plus calme — Exister.

Jeu 72

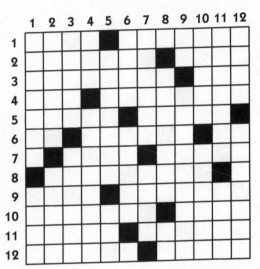

◻ Horizontalement ◻

1. Silicate naturel de magnésium — Peinture à l'eau.
2. Glandes génitales femelles — But.
3. Être au gîte, au repaire — Canton de la Suisse.
4. Hurlement — Sort de terre.
5. Arbuste originaire d'Asie occidentale — Chanvre de Manille.
6. Richesse — Grande-Bretagne — Infinitif.
7. Capitale de la Norvège — Partie du squelette du pied.
8. Ensemble des clients.
9. Ancienne monnaie chinoise — Faire rire.
10. Estimée — Beur.
11. Sucer — Résider.
12. Utiliserez — Arbre.

◻ Verticalement ◻

1. Écrit sans valeur — Obstiné.
2. Se révéler (S') — Sous-sols.
3. Lièvre — Sel de l'acide oléique.
4. Agence secrète — Parler du nez.
5. Châssis à claire-voie — Bison.
6. Dirige — Rempli au maximum.
7. Tenterai — Chevilles.
8. Varloper — Conifère.
9. Argent — Concentrer.
10. Cri d'un petit animal à qui on tord le cou — Écrit.
11. Caparaçon — Paradis.
12. Prophète hébreu — Recomposer.

Jeu 73

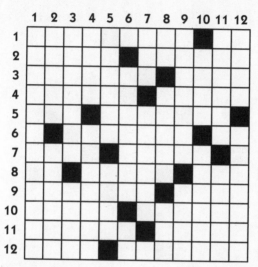

☐ **Horizontalement** ☐

1. Oppressée — Fermium.
2. Troisième personne — Omis.
3. Musardant — Gouverné.
4. Excès de table — Parier.
5. Tenta — Cul-de-sac.
6. Mousseline imitant la guipure — Connu.
7. Douze pouces — Épée.
8. Éminence — Relevé — Dynastie chinoise.
9. Gêne — Rude.
10. Équivalente — Supplément.
11. Les fils du frère — Marais du Péloponnèse.
12. Beaucoup — Allongées.

☐ **Verticalement** ☐

1. Rassemblement.
2. Stupide — Rendre visuel.
3. Engerbage — Nettoie.
4. Calendrier liturgique — Parfaites.
5. Renard bleu — Bâton enfoncé.
6. Déesse de la vengeance — Xénon.
7. Idiot — Ranger.
8. Obtenu — Contour — Boxeur.
9. Agrandir obliquement l'embrasure de — Ria.
10. Héritage — Meurt.
11. Paralysées — Principe odorant de l'iris.
12. Femme politique israélienne — Aigles d'Australie.

Jeu 74

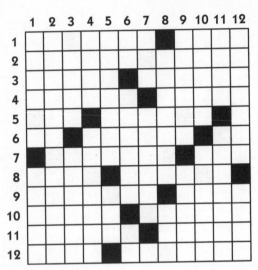

◻ Horizontalement ◻

1. Imitateur — Pays d'Asie.
2. Spécialiste des civilisations orientales.
3. L'emporte — Peigne.
4. Ignorant — Seigneurs.
5. Cheville — Quartier juif.
6. Obtenu — Petite plante carnivore — Béryllium.
7. Art — Article.
8. Se dit d'yeux d'une couleur bleu-vert — De la Toscane.
9. Accumuler — Nombre.
10. Réfute — Débarrasser des puces.
11. Stupide — Prénom féminin.
12. Cheminée — Comprimées.

◻ Verticalement ◻

1. Réfléchit — Misa.
2. Tempétueusement.
3. Pomme de pin — Fanfaronner.
4. Victoire de Napoléon — Turbulent.
5. Vigueur — Manche.
6. Note — Impudent — Lien.
7. Style musical — À nouveau.
8. Remplies — Mamelle.
9. Conforme à la loi — Degré d'enseignement.
10. Astre — Projetée.
11. Enlevée — Hydrocarbure.
12. Judicieuses — Périodes.

Jeu 75

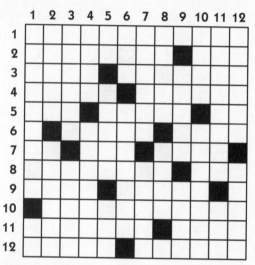

	1	2	3	4	5	6	7	8	9	10	11	12
1												
2												
3												
4												
5												
6												
7												
8												
9												
10												
11												
12												

◻ Horizontalement ◻

1. Affublement.
2. Cail!outeux — Métro.
3. Épluché — Nouerai.
4. Boucher avec du lut — Débat (Se).
5. Direction — Gros — Caché.
6. Situées — Dernière partie du jour.
7. Oui — Issus — Se dit d'yeux d'une couleur bleu-vert.
8. Noter — Terre.
9. Disque — Homme.
10. Couvre-lit.
11. Petites parcelles — Troisième fils de Jacob.
12. Munie d'une anse — Écimée.

◻ Verticalement ◻

1. Ovationner — À moi.
2. Firmaments — Inoffensif.
3. Gaéliques — Transpirations abondantes.
4. Bord d'un bois — Union illicite entre parents.
5. Patrie d'Abraham — Rendre rose — Sainte.
6. Pareil — Ancien jeu de cartes.
7. Cabrioles — Mauvais cheval.
8. Excédent — Accroche.
9. Homs — Ferveur.
10. Se trompe — Compère-loriot.
11. Réduit à rien — Ivette.
12. Sélectionneur — Plante couverte de poils fins.

Jeu 76

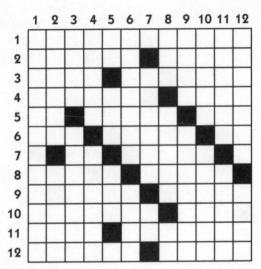

☐ Horizontalement ☐

1. Minuter.
2. Ouatiner — Anéanti.
3. Capitaine du Nautilus — Inhabitée.
4. Paquebot — Vrai.
5. Lien — Assaisonner — Condiment.
6. Mois — Crétin — Sélénium.
7. Aux limites de la nuit — Publie.
8. Soulevée — Accord.
9. Américain — Couvre-lit.
10. Astringents — Gamin.
11. Unité monétaire du Pérou — Officier de police judiciaire.
12. Spectacle merveilleux — Caverne.

☐ Verticalement ☐

1. Contemplateur.
2. Plaine irriguée — Se dégage.
3. Travailla fort — Crée.
4. Retirons — Pâlir.
5. Venu au monde — Oncle d'Amérique — Terre retournée.
6. Épreuve judiciaire par les éléments naturels — Léopard des neiges.
7. Allongé — Sud-ouest.
8. Légumineuses — Anéantit — Radium.
9. Assassiner — Fromage d'Angleterre.
10. Ricanements — Qui ne brûle plus.
11. Greffées — Sel.
12. Vraies — Irlande.

Jeu 77

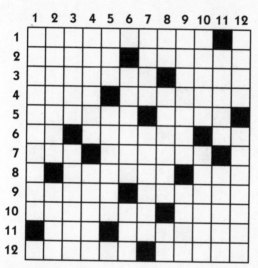

□ **Horizontalement** □

1. Fermé à clé.
2. Incroyant — Planche qui revêt le côté intérieur des membrures d'un navire.
3. Ratage — Nouveau.
4. Impôt prélevé par l'Église — Habituelles.
5. Très petite île — Bride.
6. Venu au monde — Vagabondera — Nazi.
7. Volonté — Sanatorium.
8. Bientôt — Compagnon de Mahomet.
9. En désordre — Fouille.
10. Boire de nouveau — Rongeurs.
11. Patrie d'Einstein — Ours.
12. Bergers — Lagune.

□ **Verticalement** □

1. Tomber.
2. Parsemer d'étoiles — Bof !
3. Rhinite — Instauré.
4. Redit — Odeur.
5. Organisation des États américains — Gelé.
6. Jachère — Ruisselets.
7. Ivettes — Ronger.
8. Note — Agacé — Samarium.
9. Poitrail — Vivacité.
10. Relatif à la mer Égée — Dolent.
11. Cohues — Maîtriser.
12. Navires de guerre — Longue lance.

Jeu 78

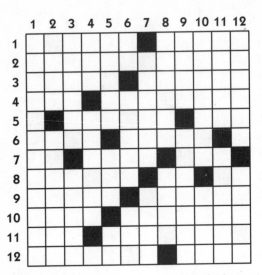

□ **Horizontalement** □

1. Avion — Tantes.
2. Ruinant.
3. Devint rose — Aimée.
4. Dirigea vers — Râteler.
5. Grésiller — Colère.
6. Audacieuse — Plante couverte de poils fins.
7. Note — Transpiration abondante — Jamais.
8. Marcherions — Gadolinium — Hélium.
9. Titre porté par les souverains éthiopiens — Abondance.
10. Dieu gaulois — Grand repas.
11. Affaibli — Ouvrier spécialisé dans les revêtements en zinc.
12. Ennuyante — Se trompe.

□ **Verticalement** □

1. Marmotteur.
2. Acier inoxydable — Agita.
3. Pesée — Avens.
4. Poème — Trouves la réponse.
5. Caverne — On les mentionne toujours avant les autres — Symbole du zinc.
6. Aux limites de la nuit — Plante des climats chauds — Unité élémentaire de capacité de stockage d'information.
7. Jaunisse — Flétri.
8. Gaminet — Sonné autour du ring.
9. Enzymes — Acide de formule HIO3.
10. Relatif au tarse — Transpirer.
11. Conducteur d'ânes — Choristes.
12. Stéréophonie — Pénètre.

Jeu 79

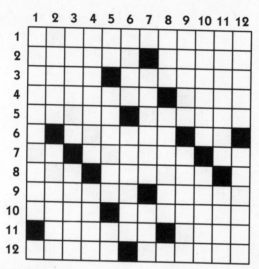

❏ Horizontalement ❏

1. Transmettre par contagion.
2. Reptile — Fromage corse.
3. Tramway — Nouerai.
4. Savourer (Se) — Point cardinal.
5. Tentera — Adouci.
6. Localiser — Titane.
7. Néodyme — Ver marin — Radium.
8. Fédération qui a existé de 1895 à 1958 — Paniers pour la pêche.
9. Honnête — Usé.
10. Devise des Français — Sol.
11. Revenus périodiques — Mer.
12. Émotteuse — Modifie.

❏ Verticalement ❏

1. Limonade.
2. Géants voraces — Dorage.
3. Cirrus — Percer un trou.
4. Singe — Atomes.
5. Année — Secret — Tellure.
6. Drogué — Aigle d'Australie.
7. Munies d'armes — Agence spatiale européenne.
8. Jamais — Chromatiser.
9. Réfutent — Caché.
10. Souffle du nord-ouest — Humidité qui sort du bois d'un bateau neuf.
11. Évaser — Attacher.
12. Raide — Conduite.

Jeu 80

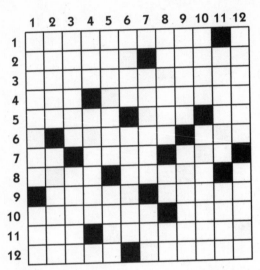

◻ Horizontalement ◻

1. Tabac finement découpé.
2. Prénom féminin — Livre sacré des musulmans.
3. Personne à qui s'adresse un envoi.
4. Il a 15 ans — Hybrider.
5. Tableau — Gaz — Nickel.
6. Ascète musulman — Carabosse.
7. Nous — Stucco — Point d'union du cheval.
8. Vous et moi — Noir.
9. Frère de Jocaste — Fruit du dattier.
10. Voluptueux — Aussi.
11. Mesure agraire — Pleurnicheur.
12. Carrés — Ondée.

◻ Verticalement ◻

1. Transpiration des feuilles — Poche.
2. Ligne de conduite — Fêtera.
3. Mets sur un siège — Vases.
4. Tonneau — Ennuyées.
5. Usent — On le dit quand on fait une erreur.
6. Bride — Souterrain.
7. Affreux — Prénom féminin.
8. Geste — Gadolinium — Rayons.
9. Porté en levant son verre — Instrument agricole.
10. Membrane colorée de l'œil — Garnir d'une frette.
11. Rings — Tout le monde.
12. Sottise — 60 minutes.

Jeu 81

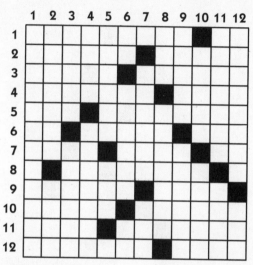

□ **Horizontalement** □

1. Enfoncer plus avant — Tellure.
2. Biens — Plante potagère dont on consomme la racine.
3. Embarrassée — Sortes.
4. Implantation — Codifia.
5. Suffixe — Balancer.
6. Lawrencium — Ventilée — Posséda.
7. Héritage — Idiots — Note.
8. Bataclan.
9. Rouspéteur — Trou.
10. Niveau — Savant.
11. Marcherai — Stérilise du lait.
12. Freiné — Saisons.

□ **Verticalement** □

1. Revigorer.
2. Étripé — Éventa.
3. Légat — Tumulus.
4. Content — Étoile de mer.
5. Nymphe des montagnes et des bois — Assassiné.
6. Nanoseconde — Munir — Note.
7. Emmerdeur — Inflorescence.
8. Époque — Qui est en mauvais état.
9. Devenu rance — Poisson-chat.
10. Petit avion télécommandé — Ce dont on vient de parler.
11. Indifférence — Énonce.
12. Débroussailler — À toi.

Jeu 82

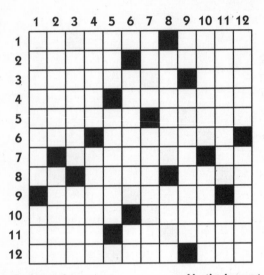

◻ Horizontalement ◻

1. Planète — Prénom féminin.
2. Joindra — Aiguisée.
3. Survivant — Kolkhoz.
4. Béquille — Langue.
5. De Lettonie — Pisse.
6. Enzyme — Nivelée, en parlant de la surface d'un sol.
7. Enlevée — Patrie d'Abraham.
8. Édouard — Effectuera — Étang.
9. Rendre fiévreux.
10. Méchant — Frotter d'huile.
11. Oublie — Potentiel.
12. Répété sans cesse — Époque.

◻ Verticalement ◻

1. Couplage — Durillon.
2. Accords — Couche profonde de la peau.
3. Reproduire frauduleusement, sans payer de droits — Déshabillées.
4. Conviendrait — Suites.
5. Bruit sec — Partie du pied.
6. Relatif au cubitus — Versus.
7. Grogna — Débris provenant d'une démolition.
8. Ver parasite du mouton — Ricaner.
9. Note — Agrès.
10. Lieu planté d'ormes — Compliquée.
11. Dieu — Métro.
12. Ventilée — Tenu secret.

Jeu 83

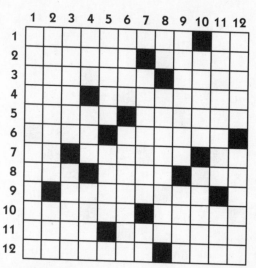

❑ Horizontalement ❑

1. Séance au cours de laquelle des équipes sélectionnent des joueurs prospects — Cobalt.
2. Légende — Cancan.
3. Capitale des Philippines — Certaine.
4. École — Physicien allemand.
5. Sous-arbrisseau épineux — Substance qui sert à lier.
6. Cutiréaction — Eider.
7. Deux romains — Son génie est célèbre — Opus.
8. Époque — Grizzly — Recueil de bons mots.
9. Clartés.
10. Vestibule — Reines des fleurs.
11. Réfutée — Renommer.
12. Relatif au tarse — Cheville.

❑ Verticalement ❑

1. Merci.
2. Fleurir — Contesta.
3. Couchant — Greffer.
4. Inflorescence — Agence secrète — Périodes.
5. Cachée — Barbotte.
6. Grand prêtre d'Israël — Thermocautère.
7. Supervise — Dans.
8. Grade — Catastrophe.
9. Ville du Québec où les gens sont plus détendus — Dieu des vents.
10. Passer à gué — Mis sur un siège.
11. Alumine anhydre cristallisée — Légumineuses.
12. Enlèvent — Antérieure.

Jeu 84

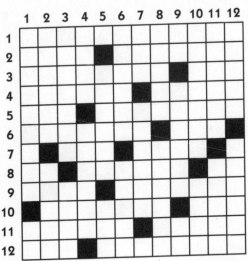

	1	2	3	4	5	6	7	8	9	10	11	12
1												
2												
3												
4												
5												
6												
7												
8												
9												
10												
11												
12												

❏ Horizontalement ❏

1. Avantageusement.
2. Femme politique israélienne — Castrer.
3. Du Mexique — Le moi.
4. Inventeur américain — Mariage.
5. Issus — Doute.
6. Placard — Saison.
7. Posséda — Songe.
8. Article étranger — Solutionné — Stéradian.
9. Vrai — Insigne.
10. Support à trois pieds — Interjection espagnole.
11. Demi-frère — Sylphes.
12. À lui — Souhaitant.

❏ Verticalement ❏

1. Installer dans un nouveau logement — Coutumes.
2. Ligne d'alimentation — Langue balte.
3. Doctrine de la fixité des espèces — Périodes.
4. Membrane colorée de l'œil — Border.
5. Petite association — Elle jacasse.
6. Peiner — Mamelles.
7. Muet — Impitoyable.
8. Souci — Évitée.
9. Magnésium — Lentigo — Lawrencium.
10. Épuisé — Divan.
11. Activité commerciale — Mollusque bivalve.
12. Siège du roi — Prénom masculin.

Jeu 85

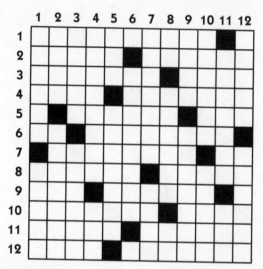

◻ Horizontalement ◻

1. Plateau.
2. Nids de l'aigle — Particule fondamentale, quantum du champ électromagnétique.
3. On en fait tout un plat — Actionne.
4. Petit âne — Passionnée.
5. Tressée — Plat indien.
6. Édouard — Grognon.
7. Ruiner — Note.
8. Gulden — Affectées.
9. Aluminium — Ver marin.
10. Gardien — Pou.
11. Gueulé — Bois noirs.
12. Grand lac — Comprimée.

◻ Verticalement ◻

1. Défilé — Mécontent.
2. Attache — Spécialiste de la pose des dalles.
3. Armature de la selle — Alimenté.
4. Adolescent — Céréale.
5. Existe — Prostituée.
6. Palper.
7. Agissent — Raire.
8. Rhodium — Dévouée — Béryllium.
9. Jeune enfant — Solitaires.
10. Allongé — Consommons.
11. Bernache — Cheville.
12. Quelqu'un — Interpénétration.

Jeu 86

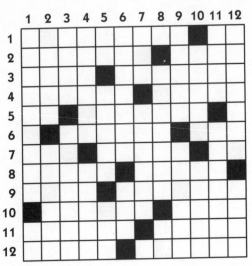

▢ Horizontalement ▢

1. Toute maladie de la peau — Bande dessinée.
2. Vedettes — De Mauritanie.
3. Urne — Crawleurs.
4. Instruit — Utilisera.
5. Saint — Comprimées.
6. Se couvrir de bourgeons — Cheville.
7. Point culminant des Philippines — Oint — Brome.
8. Poule d'eau — Superposé.
9. Dieu des vents — Noisette.
10. Meurtrissure d'un fruit — Choisis.
11. Anguille de mer — Vibrations.
12. Averse — Jaunisse.

▢ Verticalement ▢

1. Déboulonnage — Cobalt.
2. Existant — Particule constitutive du noyau de l'atome.
3. Devenu rose — Voisin de la mouette.
4. Petit fragment — De la Belgique.
5. Aluminium — Pied de deux syllabes — Bison.
6. Proctalgie — Mesure agraire.
7. Tenta — Moutarde sauvage.
8. Sur un chantier, baraque qui fait office de bureau — Dialecte.
9. Homs — Don.
10. Occident — Guilde.
11. J'ai froid ! — Plaqueminier.
12. Déséquilibrer — Cheville.

Jeu 87

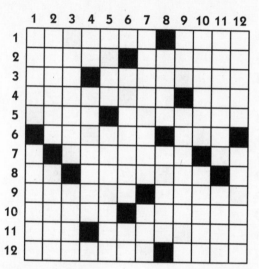

◻ Horizontalement ◻

1. Élever — Aventure intérieure.
2. Inoffensif — Œuvre de Virgile.
3. Inflorescence — Fournir de nerfs, en parlant d'un tronc nerveux.
4. Paginé — Organisation armée secrète.
5. Saisons — Fusée.
6. Amorce — Époque.
7. Imprimeras — Saint.
8. Kaon — Télécommande.
9. Prénom masculin — Lambine.
10. Remorquée — Place aménagée devant la façade principale d'une église.
11. Solution — Périscope.
12. Horripilé — Prophète hébreu.

◻ Verticalement ◻

1. Bois noir — Saynète.
2. Élu — Pin montagnard.
3. D'une manière unie — Nuancer.
4. Quotient intellectuel — Évaluée.
5. Relier — Nivelées.
6. Prénomment — Apostille.
7. Personne qui possède des rentes — Elle jacasse.
8. Issues — Première vertèbre du cou.
9. Trois fois — Monnaie romaine.
10. Marteau à river — Essor.
11. Parfaites — Tente.
12. Iran — Roi d'Athènes.

Jeu 88

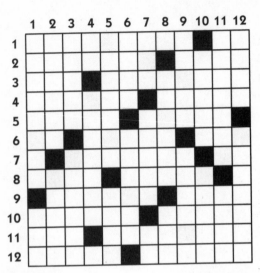

	1	2	3	4	5	6	7	8	9	10	11	12
1												
2												
3												
4												
5												
6												
7												
8												
9												
10												
11												
12												

❑ Horizontalement ❑

1. Avilissant — Avalé.
2. Osselets — Essayer.
3. Classification pour l'huile — Regimberions.
4. Conseillère secrète — Risques.
5. Prénom féminin — Parfum.
6. Tellure — Haute théologie — Canal de sports.
7. Petite pièce de bois servant à soutenir — Lien.
8. Vrai — Tas de foin.
9. Détaillé — Second calife des musulmans.
10. Blouse de travail — Fruit rouge aigrelet.
11. Enlevé — Commerce des images.
12. Canari — Donnes à boire.

❑ Verticalement ❑

1. Évacuer un lieu — Signal de détresse.
2. Superposée — Étonné.
3. Vert, au golf — Se cacher (Se).
4. Ricané — Savourer (Se).
5. Légers — Frère d'Abel.
6. Fournie — Métal bleu-blanc.
7. Enzyme — Audacieuses — Avant.
8. Jangada — Vieux.
9. Tableau — Huer.
10. Religieuse — Princes musulmans.
11. Serrure qui s'ouvre aussi bien de l'intérieur que de l'extérieur — Continent.
12. Ancienne Union soviétique — Disposées en stères, en parlant des cordes de bois.

Jeu 89

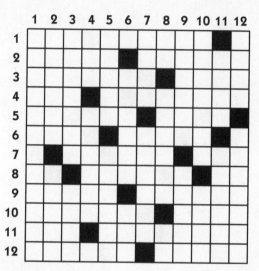

◻ Horizontalement ◻

1. Instrument d'optique sans astigmatisme.
2. Partager par lots — Garni de ruban.
3. Pourri — Ivettes.
4. Aujourd'hui — Facilement.
5. Sil — Épluché.
6. Être grand ouvert — Cellule reproductrice disséminée par certains végétaux.
7. Store — Métro.
8. Tangente — Pétard — Béryllium.
9. Délateur — Raisonnables.
10. Calme — Fort mince.
11. Lettre grecque — Désamorcer.
12. Remords — Embrasse.

◻ Verticalement ◻

1. Apprendre à lire et à écrire.
2. Nouaison — Liane.
3. Exagérer — Travesti.
4. Titre — Allié avec de l'iridium.
5. Course motocycliste — Choisit.
6. Haussée d'un demi-ton — Propre.
7. Molasse — Antérieurs.
8. Actionné — Marie — Début d'abcès.
9. Briser — S'engagea.
10. Tacher — À moitié.
11. Nichon — Bois noirs.
12. Estive — Labferment.

Jeu 90

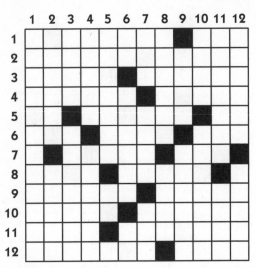

	1	2	3	4	5	6	7	8	9	10	11	12

◻ Horizontalement ◻

1. Se dégrade — Perroquet.
2. Relatif à un évènement particulier.
3. Incliné — Sans dents.
4. Têtu — Entrées en bois.
5. Note — Vagabondera — Venu au monde.
6. Terme d'échecs — Diffusé — Lancer.
7. Rendre rose — À travers.
8. Prénom masculin — Service télégraphique.
9. Hermine — Personne en gage.
10. Abrasif — Chandelle de résine.
11. Capitaine du Nautilus — Groupe de trois notes.
12. Vigne grimpant le long d'un mur — Crâne.

◻ Verticalement ◻

1. Dépopulation.
2. Aéra — Travailler fort.
3. Nation — Ancien navire de guerre.
4. Greffée — Attribution.
5. Impartiaux — Ricané.
6. Éminence — Solitaire — Thallium.
7. Bramé — Irlande — Partie de la couronne.
8. Anesthésies — Perroquet.
9. Un billion — Petit enfant.
10. Le plus vieux — Imposable.
11. Se souvenir — Surveillance.
12. Calibrer — Enfant espiègle.

Jeu 91

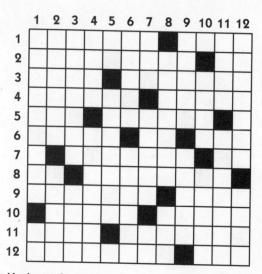

❏ Horizontalement ❏

1. Reine — Costaud.
2. S'éprendre (S') — Argon.
3. Masse de neige durcie — Odieux.
4. Cabestan — Encaustiquas.
5. Rocambole — Chute des cheveux et des poils par plaques.
6. Luigi Riccoboni — Argent — Il est toujours intérieur.
7. Conduire — Apostille.
8. Tour — Jeune perdrix.
9. Protozoaire flagellé — Drogué.
10. Nivelé — Anciennes monnaies italiennes.
11. Paradis — Mesurent au stère.
12. Redonné — Saison.

❏ Verticalement ❏

1. Idéologie — Erbium.
2. Sottise — Cabriole.
3. Tas de sel, dans les salins — Molasse.
4. Oiseau — Pellet.
5. Sud-ouest — Volubilis.
6. Ennui — Prénom masculin.
7. Région couverte de dunes — Étendue de terre où ne croissent que certaines plantes sauvages — Caché.
8. Enfermer — Sudiste.
9. Glacial — Gouverner.
10. Court — Ventilée.
11. Grogna — Riche.
12. Butins — Estonien.

Jeu 92

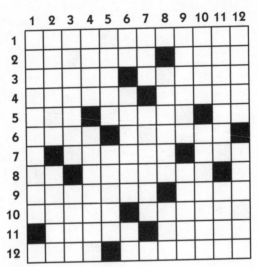

	1	2	3	4	5	6	7	8	9	10	11	12
1												
2												
3												
4												
5												
6												
7												
8												
9												
10												
11												
12												

▢ Horizontalement ▢

1. Rendre un objet le plus petit possible.
2. Submerger — Quittance.
3. Titre de noblesse — Rédiger.
4. Médite — Philosophe français.
5. Oiseau de basse-cour — Divisée — Saint.
6. Guida — Grosse gorgée.
7. Avons en main — Belle-fille.
8. Thulium — Souricière.
9. Solution — Contre.
10. Existant — Pays.
11. Palmier — Ale.
12. Envie de boire — Enlever l'eau.

▢ Verticalement ▢

1. Un millionième de mètre.
2. Nouvelle — Température.
3. Prénomment — Blêmi.
4. Unité monétaire du Pérou — Appareil capable de voler.
5. Entaille oblique destinée à l'assemblage de pièces de bois — Riche.
6. Tellure — Pointes de corne — Sélénium.
7. Bison — De l'Ionie.
8. Fait un trou — Freins.
9. Imaginaire — Pourcentage.
10. Lolo — Plaqueminier.
11. Aplatir — Boudin.
12. Regimbent — Pisser.

Jeu 93

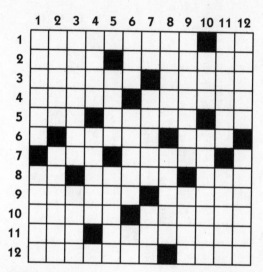

◻ Horizontalement ◻

1. Sb — Jumelles.
2. Minutie — Vespasienne.
3. Flairer — Étêté.
4. Utilisais — Imaginaire.
5. Un centième de sievert — Houssoir — Venu au monde.
6. Tempête — Existe.
7. Impayée — Rob, au bridge.
8. Voyelles — Granulé — Souverain.
9. Camp de prisonniers, en Allemagne — Enfant.
10. Champignons — Prénom masculin.
11. Terme de tennis — Arène.
12. Support — Enlèves.

◻ Verticalement ◻

1. Protégé — Étoffe croisée de laine.
2. Acte de pensée — Dispositif à lettres et à chiffres.
3. Oiseau d'Amérique du Sud — Capable.
4. Unité monétaire du Pérou — Loi.
5. Habitation en bois de sapin — Tondue.
6. Ur — Agrégation — Sodium.
7. Infinitif — Partie de l'intestin grêle — Bouclier.
8. Contestera — Bégayeur.
9. On y plonge sa plume — Ensemble de frais bancaires.
10. Oiseau de basse-cour — Promesse solennelle.
11. Poivron — Consacrée.
12. Queue-de-rat — Les plus vieilles.

Jeu 94

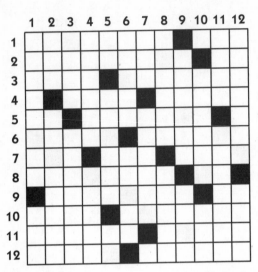

❏ Horizontalement ❏

1. Excessif — Manche.
2. Ingénument — Note.
3. Dictionnaire — Édifices religieux.
4. Strident — Muse.
5. Fer — Dénégation.
6. Manteau de pluie — Partie la plus basse de la mâchoire inférieure.
7. Déshabillée — Tenta — Télévision.
8. Sans bornes — Note.
9. Quiétude — Satellite.
10. Nid de l'aigle — Estrades.
11. Bout pointu — Droguée.
12. Naturelle — Formation.

❏ Verticalement ❏

1. Sans limites fixes — Pomme.
2. Mois — Préparation hétérogène.
3. Minéral se présentant sous forme de lamelles — Faucon.
4. Ovale — Prénom féminin.
5. Cube — Fromage — Tellure.
6. Oiseaux d'Australie — Chimpanzé.
7. Désert — Rendre mât.
8. Soutire — Superposé.
9. Impriment — Paradis.
10. Bondir — Terre.
11. Diffuse — Esters de l'acide oléique.
12. Tacheté — Audacieuse.

Jeu 95

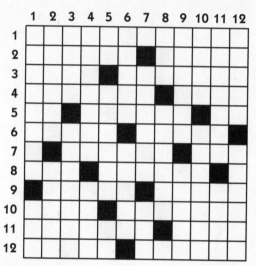

☐ Horizontalement ☐

1. Homologation.
2. Se dégager — Fauchard.
3. Maman — Conférencier.
4. Susceptible d'exciter — Cheville.
5. Thallium — Femelle de l'âne — Cube.
6. Tableau — Récipient.
7. Tomber, en parlant de la neige —
   Agence secrète.
8. Et le reste — Triste.
9. Panse — Partie d'une manivelle.
10. Petite ouverture de la peau —
    Compère-loriot.
11. Câble — Masse de neige durcie.
12. Sanglot — Tondues.

☐ Verticalement ☐

1. Rendre quelque chose — Dynamisme.
2. Américain — Farfadet.
3. Colocase — Désorganisation.
4. Rugueuse — Très petit.
5. Fer — Œuvre de Virgile — Grade.
6. Principe odorant de l'iris — Rotule.
7. Demeures — Métro.
8. Roi de Juda — Long pagne porté en
   Malaisie.
9. Sucées — Attaches.
10. Colères — Cachetée.
11. Institution de l'Église catholique —
    Élève.
12. Dieu marin — Os de poissons.

Jeu 96

❑ Horizontalement ❑

1. Chatouiller — Esche.
2. Feuille — Langue proche de l'eskimo.
3. Charger — Lettre grecque.
4. Vieux — Qui se rapporte à César.
5. Vitraux d'église, de forme circulaire — Petite île.
6. Lien — Relatif à la musique.
7. État d'Asie — Sisymbre officinal.
8. Différents — Supplément.
9. Nettoyée — Vil.
10. Préfixe — Protégée.
11. Mouton engraissé dans des pâturages côtiers périodiquement inondés par la mer — À eux.
12. Ver marin — Note.

❑ Verticalement ❑

1. Look — Platine.
2. Restaurant à bon marché — Encaustiqué.
3. Vieilles — Faire une pause.
4. Pied de vigne — Cécité plus ou moins complète.
5. Mystérieux — Début d'abcès.
6. Tondues — Galère.
7. Lave — Joli.
8. Éventa — Récompense cinématographique.
9. Polonium — Monnaie d'Iran — Abjecte.
10. État du pupille.
11. Incroyant — Rouspéteur.
12. Colorée — Ale.

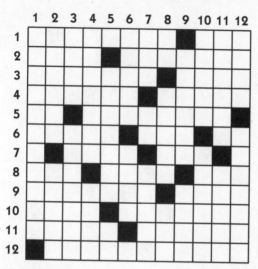

◻ Horizontalement ◻

1. Fausser la réalité — Lus.
2. Relier — Sécheresse.
3. Plaquage — Paradis.
4. Mortelle — Tranchant.
5. Quatre — Désordre.
6. Cacher — Euh — Néodyme.
7. Estonien — Partie d'une église.
8. Écorce de chêne — Volcan de Sicile — Tondu.
9. Complète — Murailles.
10. Affaiblie — Drue.
11. Rassemblé — Rendre mât.
12. Déchirure allongée.

◻ Verticalement ◻

1. Photocopieur.
2. Soutire — Munie d'une anse.
3. Décision volontaire mettant fin à une délibération — Lourdeur.
4. Archipel britannique — Victoire de Napoléon.
5. Mise en éveil — Deux romains.
6. Balthazar et Gaspard — Exister.
7. Époque — Interjection — État d'Asie.
8. Ricané — Patinoire — Habitant.
9. Baisse du niveau des eaux après une crue — Indique que quelque chose est alléchant.
10. Magnétoscope — Grossier.
11. Demi-frère — Bois détruit par le feu.
12. Cassier — Baklava.

Jeu 98

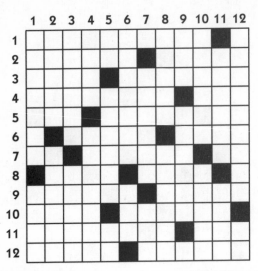

◻ Horizontalement ◻

1. Piège.
2. Déchets — Délicieux.
3. Soûl — Quartier.
4. Mieux — Explosif.
5. Existe — Qui a huit pieds.
6. Espionner — Relatif à l'anus.
7. Argent — Sorties — Connu.
8. Femme d'un raja — Sorti.
9. Réjoui — Appuyée.
10. Caducs — Inventent.
11. Huer — Liquide.
12. Conspuées — Leader.

◻ Verticalement ◻

1. Travaillera dur — Pot.
2. Songes — Homme avare.
3. Protège — Poinçon.
4. Adjectif interrogatif — Embarcation à fond plat.
5. Note — Passe-temps — Apostille.
6. Races — Bouclier.
7. Prochain — Un centième de sievert.
8. Astre — Souhaite.
9. Artère — Antérieure.
10. Unité de mesure de masse — Lichen.
11. Treuil vertical amovible — Serre-joints.
12. Crénelure — Patrie d'Abraham.

Jeu 99

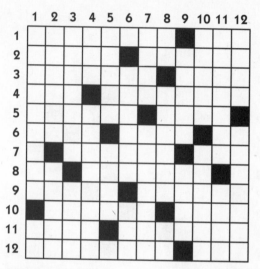

◻ Horizontalement ◻

1. Capuche — Boxeur.
2. Fruit rouge aigrelet — Alligator.
3. Irriter — Opération militaire rapide.
4. Certain — Indulgence.
5. Nivelée — Unité monétaire du Pérou.
6. Mère d'Apollon — Urne — À toi.
7. Résine aromatique — Trois fois.
8. Caché — Personne qui grène les pierres lithographiques.
9. Greffée — Dernier.
10. Pays d'Asie occidentale — Tue.
11. Résidu pâteux provenant de la distillation du pétrole — Fignolage.
12. Rendre rare — Sudiste.

◻ Verticalement ◻

1. Déterminisme — Brome.
2. Façon de marcher — Joindra.
3. Vin rouge de mauvaise qualité — Empereur.
4. Affaibli — Rêverie.
5. Calibre servant à donner une forme courbe à un ouvrage — Inventa.
6. Haussée — Terre retournée.
7. Rouille — Invalidée.
8. Sodium — Livre liturgique, pour la messe — Chrome.
9. Prénom féminin — État américain.
10. Amoureux — De la tribu.
11. Caractère laïque — Balthazar.
12. État d'Asie — Immobilisée.

Jeu 100

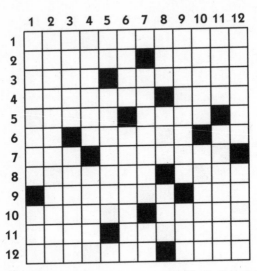

❒ Horizontalement ❒

1. Détartrer.
2. Joignit en entrelaçant les torons — Pleur.
3. Sanatorium — À quel point ?
4. Irrégulier — Montagne de Grèce.
5. Sonar — Estonien.
6. Caché — Javelot — Cube.
7. Du verbe rire — Composé défini d'azote et d'un métal.
8. Force navale — Grogna.
9. Saccharase — Poil.
10. Diversifiés — Assaisonnée.
11. Attachée — Reçois.
12. Infécond — Crâne.

❒ Verticalement ❒

1. Catastrophe — Lus.
2. Valorisant.
3. En dehors de — Bâtiment à chevaux.
4. Chamois — Alliage de fer et de carbone.
5. Nanoseconde — Contour.
6. Excrément — Opale.
7. Sels de l'acide oléique — Béryllium.
8. Patrie d'Einstein — Titre — Existe.
9. Saccageur — Du verbe avoir.
10. Divisée — Volée.
11. Diffuse — Détachent.
12. Relative aux reins — Couvre-lit.

Jeu 101

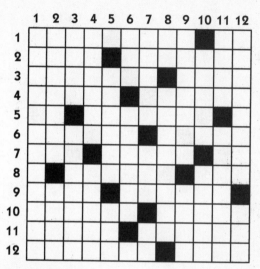

◘ Horizontalement ◘

1. Réclusion — Quatre.
2. Elle fait des recherches spatiales — Bizarre.
3. Sangle attachée à la naissance de la queue du cheval pour empêcher le harnais de glisser — Bœuf sauvage.
4. Retirons — Berbères.
5. Drame japonais — Assembler en tordant.
6. Garnir de vitres — Attendu.
7. Époque — Mentionnée — Existes.
8. Butin — Volonté.
9. Ennui — Surveillais.
10. Prénom féminin — Géant.
11. Nettoyer — Chêne.
12. Ablation — Greffa.

◘ Verticalement ◘

1. Grossièreté.
2. Long collier — Rouquin.
3. Capitale de la Norvège — Appuie-tête.
4. Procéder au lainage de — Travailler fort.
5. Race — Colère.
6. Trois fois — Chromatisée.
7. Articles — Bip — Cale.
8. Richesse — Bosse.
9. Récemment — Organe du vol.
10. Raconte — Bohémien.
11. Aven — Servant à boire.
12. Cafetière pourvue d'une poignée droite — Contesta.

Jeu 102

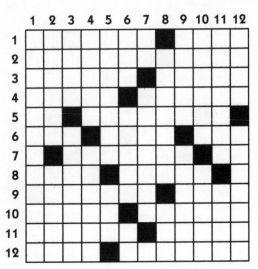

◻ Horizontalement ◻

1. Oiseau grimpeur — Orifice d'un canal.
2. Mitrailleuse.
3. Remplie — Os de poissons.
4. Mauvais cheval — Gaéliques.
5. Erbium — Atchoumer.
6. Situé — Relatif au mouton — Époque.
7. Maison, foyer — Éminence.
8. Diffuse — Zone du zodiaque.
9. Salir — Rapace.
10. Protection — Du vent.
11. Perd son temps — Idiote.
12. Télévision — Glacer.

◻ Verticalement ◻

1. Urgence.
2. Carcan — Prestidigitation.
3. Saisons — Particulier.
4. Opalescent — Analysé.
5. Petit du canard — Article.
6. Demoiselle — Fugitif — Lien.
7. Article étranger — Preuve, raison.
8. Inventeur du stéthoscope — Tenta.
9. Colin — Sable fin.
10. Écimée — Obscurités.
11. Consterné — Pharaon.
12. Chevilles — Conduire.

Jeu 103

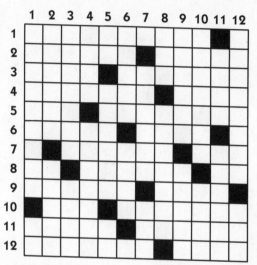

❑ Horizontalement ❑

1. Couper.
2. Réussi — Ordonne.
3. Nichon — Tressées.
4. Contamine — Bourdaine.
5. Pareil — Horripiler.
6. Abri — Ouverture donnant passage à l'eau.
7. Pesage — Sainte.
8. Ricané — Grand-mère — Note.
9. Guindé — Naturel.
10. Pieu — Orateur.
11. Fromage corse — Affaibli.
12. Jacobée — Dieu des vents.

❑ Verticalement ❑

1. Relatif à la santé publique et à l'hygiène — Nanoseconde.
2. Bois noirs — Athée.
3. Dispute — Oiseau dont le mâle porte une magnifique livrée bleue.
4. Assassinée — Petite lame.
5. Pronom anglais — Précieuses — Dialecte.
6. Consacrée — Acide.
7. Ventilation — Cri sourd d'un homme qui frappe avec effort.
8. Propre — Hispanique.
9. Ravissement — Greffée.
10. Ricaneuses — Capitaine du Nautilus.
11. Timide — Cabestan.
12. Gênée — Bramé.

Jeu 104

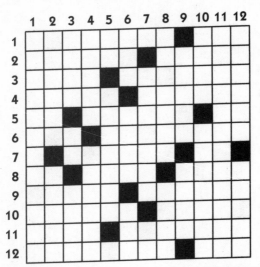

☐ Horizontalement ☐

1. Devin — Poche.
2. Bourgade — Minéral à structure lamellaire.
3. Enlever — Accompagne.
4. Poisson exotique d'eau douce — Case.
5. Richesse — Souhaite — Ricané.
6. Écart — Mélange naturel de nitrates.
7. Population — Possède.
8. Actinium — Inventé — Ancienne Union soviétique.
9. Victime — Délassé.
10. Statue de Mercure — Manquer.
11. Halogène — Batelier.
12. Gros mot — Époque.

☐ Verticalement ☐

1. Photo.
2. Manquera — Frère de Jocaste.
3. Oublie — Jumelles — Calendrier liturgique.
4. Mur de soutènement sur un talus pour maintenir la terre — Étêter.
5. Interjection — Protégée.
6. Obtenue — Pontife — Spinnaker.
7. Cacheter — Astate.
8. Abrupt — Anneau en cordage.
9. Photographiée — Poison végétal.
10. Étoffe drapée indienne — Se dit d'une carte à jouer dont le dos est imprimé de motifs en compartiments.
11. Engin spatial non habité.
12. Aimée — Comprimé.

Jeu 105

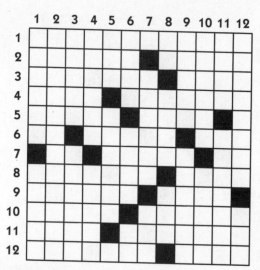

1. Exubérant.
2. Perdue — Place publique, en Grèce.
3. Créancier — Capitale de l'Arabie saoudite.
4. Prophète hébreu — Hôtelière.
5. Relations — Attachée.
6. Lien — Cachée — Première femme.
7. Avant-midi — À toi — Année.
8. Qui a rapport au crâne — Huilé.
9. Ricanerons — Regimbât.
10. Prophète hébreu — Avion.
11. Prince musulman — Enfermé.
12. Gêne — Vaste bassin protégé.

1. Décongelé — Hurler.
2. Socialisme.
3. Prestidigitation — Étang.
4. Est — Obscur.
5. Issus — Lustré.
6. Fils d'Adam — Bavardes — Curriculum vitae.
7. Du vent — Céréale.
8. Radium — À toi — Rivière, en espagnol.
9. Accepté — Expiration provoquée par une émotion.
10. Méprisée — Ville d'Ukraine.
11. Te rendras — Fanfaron.
12. Platement — Issue.

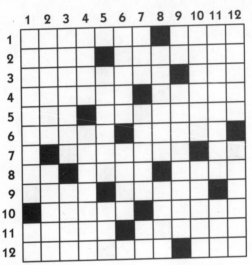

□ **Horizontalement** □

1. Trace d'une roue dans le sol — Étang.
2. Salaire — Mouiller.
3. Chevelure abondante — Titre.
4. Parfaite — Copié.
5. Kolkhoz — Railler.
6. Opalescent — Ventiler.
7. Priorité d'âge — Article étranger.
8. À moi — Moitié — Arriéré.
9. Cheville — Courant.
10. Habitants de la Turquie — Balancé.
11. Sélectionnés — Prénom féminin.
12. Mémorisées — À lui.

□ **Verticalement** □

1. Confiance — Tour.
2. Durcir — Planète.
3. Sa capitale est Abuja — Talonne.
4. Victoire de Napoléon — Stupéfaite.
5. Fou — Centrale syndicale du Québec.
6. Tondre — Touchés.
7. Légumineuses — Refuge — Germanium.
8. Souveraines — Oiseau échassier.
9. Molybdène — Yeux.
10. Base — Ventilés.
11. Répéter — Solution.
12. Rôder — Haussées.

Jeu 107

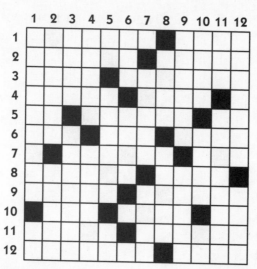

❒ Horizontalement ❒

1. Choisie — A à.
2. Était étendu, immobile — Fromage de Hollande.
3. Claude Vorilhon — Tout petit parasite.
4. Moniteur — Astuce.
5. Stéradian — Fêtera — À lui.
6. Aride — Obtenue — Étendue.
7. Adore — Écrivain américain.
8. Conduit à déchets — Équipe.
9. Académie — Qui s'érode.
10. Vieux — Sortie — Sélénium.
11. Tête — Privé.
12. Alcool-phénol extrait de l'essence de menthe poivrée — Périodes.

❒ Verticalement ❒

1. Violente — Centimètre.
2. Clerc qui a reçu le diaconat — Fils de Dédale.
3. Essayer — Chignon.
4. Appareil de levage muni d'un mécanisme démultiplicateur — Plaintif.
5. Titane — Prénom féminin — Interjection.
6. Lettre grecque — Peau épaisse de certains animaux.
7. Inventer — Déportation.
8. Bœuf sauvage — Coffret.
9. Relatif au dos — Barbotte.
10. Audition — Indication musicale — Infinitif.
11. Poisson — Affectation.
12. Mouvement oscillatoire d'un navire dans le sens de la longueur — Carabosse et Morgane.

Jeu 108

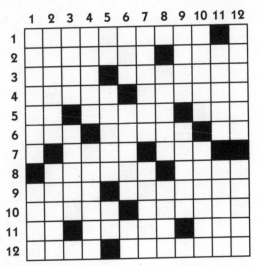

☐ Horizontalement ☐

1. Apathique.
2. Colombium — Unité monétaire du Pérou.
3. Caché — Remise.
4. Prénom féminin — Cabane.
5. À toi — Billet de sortie — Poisson.
6. Agence spatiale européenne — Plante couverte de poils fins — Coutumes.
7. Beur — Ruisselets.
8. Carrousel — Bois d'un arbre africain.
9. Victoire de Napoléon — Enlever la cosse de.
10. Gros et court — Hyperazotémie.
11. Édouard — Travaille dur — Baudet.
12. Mélange — Vraies.

☐ Verticalement ☐

1. Encouragée — Article.
2. Réfuteras — Excrément.
3. Poisson plat — Posture de yoga.
4. Bois noir — Incapable.
5. Nickel — Évasion — Patrie d'Abraham.
6. Jus — Construit — Infinitif.
7. Dignité d'imam — Bave.
8. Ériger — Bord d'un bois.
9. Attachas — Possédasse.
10. Souci — Se dit de la ligne suivant l'ordre d'ébranlement, dans un séisme.
11. Tortillé — Tristesse.
12. Les plus vieilles — Entrées en bois.

Jeu 109

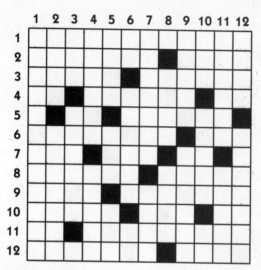

◻ Horizontalement ◻

1. Crainte.
2. Doser — Gaine.
3. Saule — Conductrice d'ânes.
4. Radium — Multitude — Article.
5. Aluminium — Ses voyages sont célèbres.
6. Fausse — Se rendra.
7. Idiot — Poème — Dans.
8. Hirondelle de mer — Monument funéraire indien.
9. Éventa — Ne fais rien.
10. Port allemand — Aber — Coutumes.
11. Note — Inconnue.
12. Races — Anneau en cordage.

◻ Verticalement ◻

1. Se dit d'une dette qui peut être amortie.
2. Appuya — Éructeras.
3. Grecque — Vaisseau sanguin.
4. Rue étroite — Feuillée.
5. Se trompe — Agent secret — Et le reste.
6. Hélium — Florin — Note.
7. Écorché — Te rendras.
8. Inondé — Équilibré.
9. Mamelles — Décrue.
10. Suffixe — Cavité irrégulière de certains os — Erbium.
11. Border — Frayeurs.
12. Réfutée — Accumulée.

Jeu 110

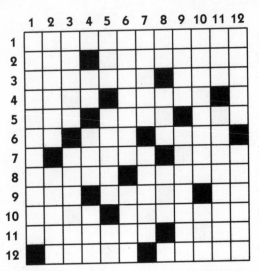

□ **Horizontalement** □

1. Qui établit une préférence.
2. Style musical — Changeur.
3. Répugnante — Rochers.
4. À toi — Satellite d'Uranus.
5. Liquide — Relier — Habitant.
6. Chlore — Hep ! — Prêtre.
7. Assassinées — Spart.
8. Boule-de-neige — Semblable.
9. Rongeur — Mois — Aluminium.
10. Orifice du rectum — Saison.
11. Bureau de tabac — Ville de la Côte d'Azur.
12. Précepte — Vieilles.

□ **Verticalement** □

1. Régime juridique établi par un traité international et selon lequel un État fort assure la protection d'un État faible.
2. Relatif au rayon — Commun.
3. Gros et long bâton garni de fer — Vacille.
4. Dans — Empeste — Poche.
5. Bouclier — Utilisera — Jeu japonais.
6. Ennuyante — Inutile.
7. Abrasif — Affection chronique de l'intestin.
8. Nota bene — Se rendra — Du verbe avoir.
9. Tué — Dont le côté le plus long se présente de face.
10. Séparable — Intérieur du pain.
11. Et le reste — Doute.
12. Blessée — Passages étroits.

Jeu 111

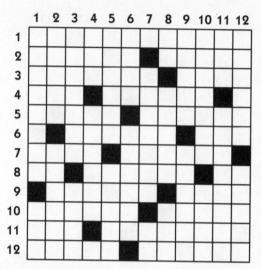

◻ Horizontalement ◻

1. Instrument à percussion.
2. Comédien — Dignité papale.
3. Bistouri — Chanteur belge.
4. Adresse — Souveraines.
5. Nabote — Ion.
6. Pain de sucre — Obtenue.
7. Diffuse — Crasseux.
8. Radium — À toi — Conifère.
9. Grive — Peintre surréaliste.
10. Arbuste ornemental — Clairon.
11. Supplément — Marches.
12. Prophète hébreu — Natte.

◻ Verticalement ◻

1. Pantouflard — Classement.
2. Capitale du Ghana — Fichu.
3. Plante à fleurs roses ou mauves —
   Entoura d'une enveloppe extérieure.
4. Pareil — Tressée.
5. Tout contre — Naturelle.
6. Équipé — Séquences de film.
7. Unicorne — Carat.
8. Lien — Chose exquise — Bistrot.
9. Pays d'Asie — Reconnaissance d'un
   engagement.
10. Petit primate de Malaisie — Opères.
11. Époque — Brebis.
12. Lunaire — Contente.

Jeu 112

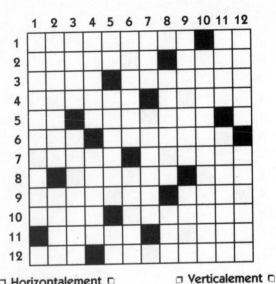

□ **Horizontalement** □

1. Exergue — Or.
2. Relatif au Soleil — Étangs.
3. Escarpement rocheux — Lutrin.
4. Accroché des wagons — Sel.
5. Moi — Prénom féminin.
6. Ur — Arrêtons.
7. Double point — Flairer.
8. Oiseau rapace — Se rendra.
9. Type qui glane — Croissance soudaine et peu stable.
10. Dieu des vents — Nouvelle.
11. Mélangée — Décorer.
12. Trois fois — Rangera.

□ **Verticalement** □

1. Vol.
2. Prometteur — Capitale du Togo.
3. Petite île — Refuser un candidat.
4. Pourrie — Alliage de cuivre et de nickel.
5. Ricané — Cerf-volant — Erbium.
6. Accord — Espace de temps.
7. Guère — Extrait l'eau.
8. Réfléchir — Muet.
9. Se marque par une apostrophe — Berceaux.
10. Prévenant.
11. Amer — Boire lentement.
12. Utilisera — Fera avancer une chaloupe.

Jeu 113

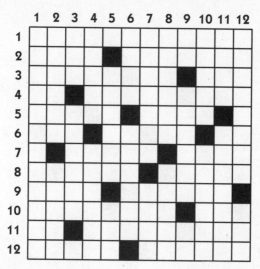

◻ Horizontalement ◻

1. Déodorant.
2. Fromage hollandais — Agitée.
3. Paraissant — Refus.
4. Hassium — Agilement.
5. Audacieuses — Grand lac.
6. Pâté impérial — Aperçus — Infinitif.
7. Fèves au lard — Volcan de Sicile.
8. Analyses — Cross-country.
9. Assassinée — Imprimait.
10. Ancré — Classification pour l'huile.
11. Titane — Lancer.
12. Crochets doubles — Ermite.

◻ Verticalement ◻

1. Inconvenance.
2. Urfa — Ville de Tunisie.
3. Oncle d'Amérique — Voiler.
4. Truite mouchetée — Parfaite.
5. Rogne sur les dépenses — Ce qui arrive.
6. Tentas — Sort.
7. Femmes qui reçoivent des rentes — Ancien empire.
8. Jaunisse — Inventés.
9. Sud-ouest — Pariera — Chiffres romains.
10. Inule — Méprisée.
11. Gaz rare — Moment.
12. Attireras — Saison.

Jeu 114

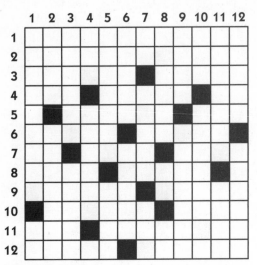

◻ Horizontalement ◻

1. Inconscient.
2. Se glorifier (S').
3. Cabane — Cocaïne.
4. Autobus — Rôdes — Électronvolt.
5. Multitude — Céréale.
6. Gréement — Chaîne.
7. Brome — Un air de bœuf — Affaiblie.
8. Noue — Assemblée politique.
9. Obéit — Joindra.
10. Pays d'Asie occidentale — Clefs.
11. À lui — Prénom féminin.
12. Prénom féminin — Il dore.

◻ Verticalement ◻

1. Pareil — Note.
2. Paresseux — Amnistier.
3. Travailler — Gousse.
4. Vert — Cultivateur.
5. Géante vorace — Enveloppe.
6. Nuancera — Affaiblies.
7. Sélénium — Millionnaire — Palefrenier.
8. Septième art — Dévêtu — Prénom de l'actrice Derek.
9. Terres — Atténuer.
10. Terre retournée — Château fort.
11. Toute-épice — Révisé.
12. Cessez-le-feu — Élargir à l'extrémité.

Jeu 115

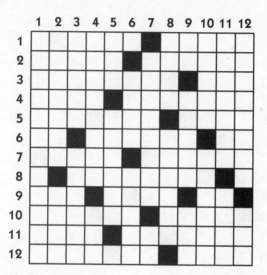

□ **Horizontalement** □

1. Absolution — Ingénue.
2. Insulaire — Ennui.
3. Hommes d'une voix retentissante — Freins.
4. Flaire — Monseigneur.
5. Poison — Enlevai.
6. Article — Ruban étroit bordant un vêtement — Tangente.
7. Ventilée — Chacun des deux organes de la respiration.
8. Série de petites arcades décoratives.
9. Pas ailleurs — Obtenues — Californium.
10. Prénom masculin — Quart d'une corde de bois.
11. Raire — Chaîne de montagnes italienne.
12. Enlacé — Suça.

□ **Verticalement** □

1. Pizza.
2. Modifiée — Escarpement rocheux.
3. Bagatelles — Rainurer.
4. Créneler — Époque.
5. Possèdent — Filles du frère.
6. Oubliés — Vent violent.
7. Maxime — Platine.
8. Lac d'Écosse — Rouquine.
9. Astate — Religieuse — Explosif.
10. Conviendrait — Protecteur.
11. Trémolo — Cuit par friture.
12. Panonceau — École.

Jeu 116

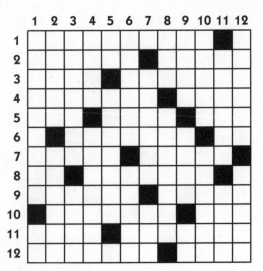

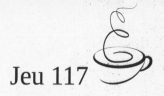

Jeu 117

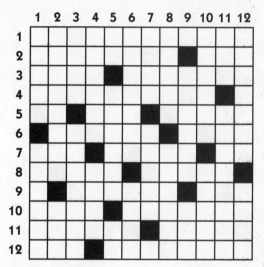

	1	2	3	4	5	6	7	8	9	10	11	12
1												
2												
3												
4												
5												
6												
7												
8												
9												
10												
11												
12												

❑ Horizontalement ❑

1. Faire admettre à l'hôpital.
2. Préviendra — Agence de presse américaine.
3. Congédié — État d'Afrique.
4. Fugitif.
5. Note — Trou dans un mur — Mamelles.
6. Avironneur — Courbe.
7. Compagnie — Conviendrait — Césium.
8. Ventiler — Breakdance.
9. Exécutai — Gelée des eaux.
10. Puissance surnaturelle — Sérielle.
11. Dépourvu d'épines — Masses de neige durcie.
12. Partie d'une église — Seringue.

❑ Verticalement ❑

1. Effectuer le havage de — Rouge éclatant.
2. On y extrait l'huile d'olive — Baudet.
3. Deviendra — Appareil capable de voler.
4. Rose ou Blanche — Traverse.
5. Pronom anglais — Araignée — Chiffres romains.
6. Muscle qui tend — Claude Vorilhon.
7. Spiritueux — Referme.
8. Lamelles — Marcherions.
9. Stupide — Propre.
10. Rusé — Pite.
11. Inflorescence — Galvaniser.
12. Ricaneuses — Frustre.

Jeu 118

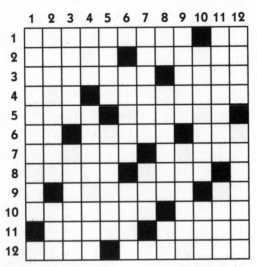

❑ Horizontalement ❑

1. Empêcher — Hélium.
2. Nuancera — Leucémie.
3. Petit repas familier — Pou.
4. Existe — Pas ici.
5. Produit de l'abeille — Prière de louange.
6. Nota bene — Ventiler — Attacha.
7. Inflammation de l'iléon — Caillou rond.
8. Sentier — Greffe.
9. Orner d'un tatouage — Thallium.
10. Femmes qui ont tout perdu — Marcherai.
11. Harassé — Coton.
12. Dirige — Agriculteur.

❑ Verticalement ❑

1. Dédommager.
2. Nocif — Bison.
3. Abri de toile — Complet.
4. Époque — Sperme de poisson.
5. Loupa — Écimer.
6. Félin — Coco.
7. Celle-ci — Possédés.
8. Radium — Reluque — Richesse.
9. Greffer — Cour intérieure dans une maison romaine.
10. Testicule — Rayon.
11. Lieu planté de hêtres — Sonde.
12. Dieu de l'amour — Séminaire.

Jeu 119

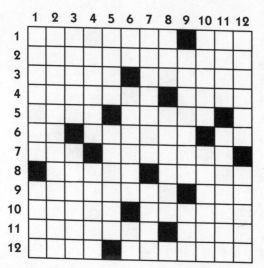

❑ Horizontalement ❑

1. Utiliser — Organisation armée secrète.
2. Habitante d'une paroisse.
3. Maire — Artichaut.
4. Mettre à l'abri — Bride.
5. Oublie — Fourbue.
6. Drame japonais — Briser — Note.
7. Argile — Écimage.
8. Podium — Fabuliste grec.
9. Folie — Oncle d'Amérique.
10. Usé — Sa capitale est Moscou.
11. Engourdi — Se dit d'yeux d'une couleur bleu-vert.
12. Clairs — Enlisée.

❑ Verticalement ❑

1. Ils sont aux pieds des amazones — Acteur américain, mort en 1955.
2. Titre d'une femme célibataire.
3. Bonus — Passereau.
4. Nymphette — Épaté.
5. Oiseaux de basse-cour — Mouton mâle.
6. Cité légendaire bretonne — Parés — Cube.
7. Épéisme — Filin qui relie une ancre à la bouée.
8. Aber — Prisonnier.
9. Te tromperas — Jacuzzi.
10. Averse — Enfants.
11. Petit âne — Refuge.
12. Moutarde sauvage — Homs.

Jeu 120

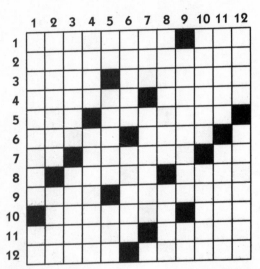

□ **Horizontalement** □

1. Magouiller — Elle jacasse.
2. Tempétueusement.
3. Furie — Morte.
4. Qui n'a pas encore 18 ans — Blesses.
5. Roi de Juda — Ressortir.
6. Barbotte — Moi.
7. Dans le vent — Case de nouveau — À moi.
8. Pigeon sauvage — Relatif au raisin.
9. Traverse — Oxyde contenant deux atomes d'oxygène.
10. Point culminant du globe — Métro.
11. Pâlir — Étonné.
12. Ventilée — Haussée d'un demi-ton.

□ **Verticalement** □

1. Étiquette — Baryum.
2. Prière — Épluché.
3. Personnage qui a un grand pouvoir à cause de son capital — Saliver.
4. Mer — Ancien navire de guerre.
5. Venu au monde — Affaiblies — Du verbe rire.
6. Assassinera — Donner.
7. Existe — Renard bleu.
8. Vraies — Enlevai.
9. Emmiellé — Hélium.
10. Rêveur — Parasite informatique.
11. Interurbain — Archipel portugais de l'Atlantique.
12. Saisons — Balcon.

Jeu 121

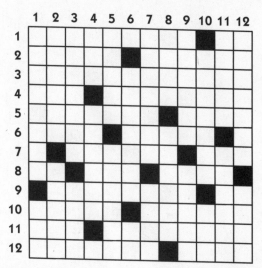

❏ Horizontalement ❏

1. Réaliser — Gadolinium.
2. Bock — Nivelée.
3. Merci.
4. Interjection espagnole — Dévoué.
5. Ventre — D'Athènes.
6. Copine — Massif de maçonnerie destiné à contenir la poussée d'un arc.
7. Vagabondera — Assassiné.
8. Voyelles — Vent — Bisons.
9. Action d'attacher — Patrie d'Abraham.
10. Unité du flux lumineux — Gouvernera.
11. Recueil de bons mots — Outils de maçon.
12. Relatifs au singe — Cheville.

❏ Verticalement ❏

1. Funambule — Fatigué.
2. Toutes les levées, dans certains jeux de cartes — Posé sur la Lune.
3. Vaudeville — Chef religieux musulman.
4. Trou dans un mur — Ventilation.
5. Grâce — Ricaneuse.
6. Récital — Radon.
7. Il laine le drap — Aurochs.
8. Colères — Ornée de lauriers.
9. Chant des oiseaux — Loi.
10. Discrète — Eux.
11. Espèce — Érosions.
12. Découvre — Tond.

Jeu 122

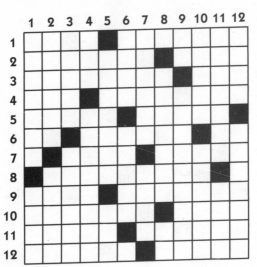

◻ Horizontalement ◻

1. Bassin entouré de quais, pour le chargement et le déchargement des navires — Pépère.
2. Sarigue — Alliage.
3. Bords d'un bois — Freins.
4. Fatigué — Cancer.
5. Tranchant — Morceau de bois à moitié brûlé.
6. Note — Intonation — Erbium.
7. Habitation — Instruit.
8. Transfuge.
9. Ville du Nevada — Convenable.
10. Étêter — Être grand ouvert.
11. Bonze — Coupe en tranche fine.
12. Intercalé — Plante couverte de poils fins.

◻ Verticalement ◻

1. Piastres — Prénom masculin.
2. Qui contient de l'opium — Satan.
3. Gousse — De Gènes.
4. Lettre grecque — Pense.
5. Distinguée — Dernier.
6. Naturelle — Calibre servant à donner une forme courbe à un ouvrage.
7. Révolte — Boudin.
8. Diviser — Molybdène.
9. Sodium — Assommer.
10. Fort connu — Inventent.
11. Chantepleure — Opposé à cela.
12. Énonce — Le retour à l'école.

Jeu 123

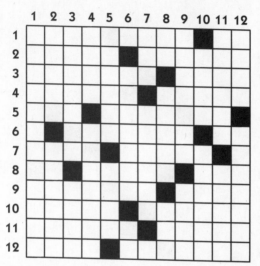

□ **Horizontalement** □

1. Mutinerie — Éminence.
2. Écimé — Gelé.
3. Rouge vif — Passeport.
4. Encourage — Système de télévision en couleur.
5. Enleva — Chicaner.
6. Moment — Tour.
7. Début d'appel — Ville d'Algérie.
8. Note — Tableau — Organisation mondiale de la santé.
9. Alcoolique — Utilisas.
10. Être assis — Pièce instrumentale.
11. Mesurer à l'aide d'un mètre — Son huile est employée comme purgatif.
12. Cheville — Détériorèrent.

□ **Verticalement** □

1. Fait de langue propre à une région.
2. Existant — Nettoyées.
3. Chez-soi — Éructations.
4. Béquille — Connu.
5. Lambines — Géant vorace.
6. Sûr — Ruisselet.
7. Suffixe — Cécidies.
8. Richesse — Rêve — Partie de la couronne.
9. Véhicule spatial — Relier.
10. Ville de la Côte d'Azur — Vitrail d'église, de forme circulaire.
11. Terre essartée — Matinée.
12. Indique que quelque chose est alléchant — Éprouve.

Jeu 124

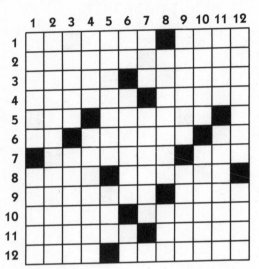

◻ Horizontalement ◻

1. Étui — Capitale de la Norvège.
2. Serrerait davantage.
3. Alliage de fer et de carbone — Aussitôt (D').
4. Qui est membre d'un État fédéral — Parier.
5. Arbre d'Amérique tropicale — Qualité de ce qui est âcre.
6. Carat — Scie — Ici.
7. Ébriété — Fatigué.
8. Muscardin — Palais du sultan.
9. Avalée — Gaz rare.
10. Joindra — Talonner.
11. Étape entre deux lieux — Suite.
12. Périodes — Disposées en stères, en parlant des cordes de bois.

◻ Verticalement ◻

1. Circulation — Amarrage en cordage.
2. Recevoir, vérifier et enregistrer une livraison.
3. Glucide hydrolysable — Veilleur de nuit.
4. Affaiblie — Te tromperas.
5. Action de serrer — Rayon.
6. Stéradian — Partie nord de la Grande-Bretagne — Nazi.
7. Époque — Moqueries collectives.
8. Conduire — Affaibli.
9. Zone d'action — Conducteur d'ânes.
10. Dégagement d'hydrocarbures gazeux mêlés à de l'eau, à la surface terrestre — Lapin.
11. Attachée — Unité d'énergie.
12. Enlèverais — Issues.

Jeu 125

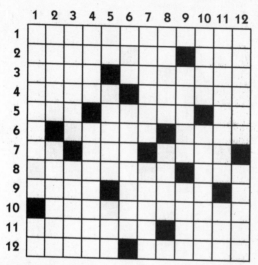

◻ Horizontalement ◻

1. Impossible à mesurer.
2. Réduit à rien — Terme de tennis.
3. Cuit par friture — Grotte.
4. Moniteur — Jumeau.
5. Du verbe rire — Gros — Lui.
6. Instrument de musique — Tond.
7. Préfixe — Issus — Courant marin (El).
8. Satinage — Jamais.
9. Greffe — Unité du flux lumineux.
10. Fou.
11. Poissons osseux — Refus.
12. Lettre grecque — Dignité d'émir.

◻ Verticalement ◻

1. Stérile — Saint.
2. Grâce — Ville d'Allemagne.
3. Bourgmestres — Sillon.
4. Greffa — Attention.
5. Aux limites de la nuit — Inscrire — Recueil de bons mots.
6. Entre parenthèses — Lave.
7. Utilisateur — Gré.
8. Songes — Capitaine du Nautilus.
9. Abrasif — À qui mieux mieux (À l').
10. Élément atomique n° 5 — Bredouiller.
11. Mois lunaire — Lettre grecque.
12. Chaume — Œil.

Jeu 126

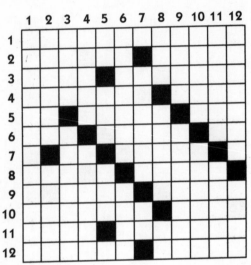

◻ Horizontalement ◻

1. Maniement.
2. Olfaction — Potelée.
3. Écrivit — On y va pour voter.
4. Argent — Pronom personnel.
5. Apostille — Tableau — Terre retournée.
6. Organisation des États américains —
   Articles — Édouard.
7. Romains — Étêté.
8. Insulaire — Empereurs.
9. Paraphée — Crochets doubles.
10. Adversaires — Femme et sœur de Zeus.
11. Raire — Stores.
12. Cesse — Brouillard.

◻ Verticalement ◻

1. Accaparera.
2. Appuyé — Paquebot de grande ligne.
3. Inscrit — Rendre conforme à.
4. Conviendrait — Adulé.
5. Pascal — Règle — Pâté impérial.
6. Efficacité — Irlande.
7. Distingué — Note.
8. Il a 15 ans — Diffusée — Décibel.
9. Prison — Servir, au tennis.
10. Célébrité — Pour fixer un aviron.
11. Aïe — Partie liquide du sang.
12. Ver marin — Land d'Allemagne.

Jeu 127

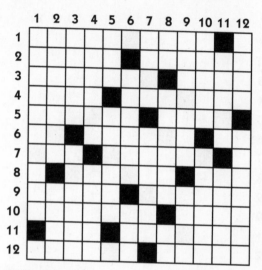

	1	2	3	4	5	6	7	8	9	10	11	12
1												
2												
3												
4												
5												
6												
7												
8												
9												
10												
11												
12												

◻ Horizontalement ◻

1. Ennuyer.
2. Jappe — Sacrifié.
3. Il dirige une université — Prince musulman.
4. Contester — Lamentable.
5. Cesse — Le plus vieux.
6. À lui — Ennuyant — Radium.
7. Argile — Séquences de film.
8. Extrait l'eau — Base d'une science.
9. Greffée — Arbre.
10. Nettoyer en frottant — Petite île.
11. Lettre grecque — Personne chargée du raclage.
12. Chiffon utilisé dans la fabrication du papier — Jour de congé.

◻ Verticalement ◻

1. Qui se nourrit de viande.
2. Écouterai — Insecte.
3. Fêter — Fruit exotique.
4. Intituler — Entrée d'une maison.
5. Bramé — Comprimer.
6. Institution spécialisée de l'ONU — Époque.
7. Ricanera — Ventilera.
8. Préfixe — Éreinter — Californium.
9. Chevronné — Organe du vol.
10. Feuilleton — Décaper.
11. Paquebot de grande ligne — Rendu bleu.
12. Donne à boire — Aïeul.

Jeu 128

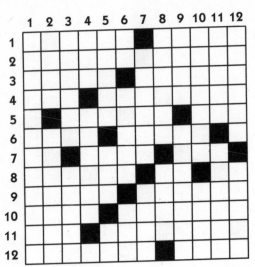

◻ Horizontalement ◻

1. Joignit en entrelaçant les torons — Songes.
2. Antichrèse.
3. Presser — Perspicacité.
4. Intérieur du pain — Entraîner dans un engrenage.
5. Narine du cheval — Mesure agraire.
6. Disque — Ricaneur.
7. Astate — Assassinée — République démocratique allemande.
8. Sassé — Pascal — Tellure.
9. Personne asservie — Poêle.
10. Géant vorace — En tous lieux.
11. Contesta — Partie du rez-de-chaussée d'une salle de théâtre.
12. Distinguée — Située.

◻ Verticalement ◻

1. Litanies.
2. Gageure — Douleur d'oreille.
3. Naïf — Humeur.
4. Sainte — Pierre d'aigle.
5. Seigneurs — Affaibli — Ordinateur.
6. Champion — Dieu marin — Terme d'échecs.
7. Javelot — Prêt.
8. Harassée — Abri pour les navires.
9. Touchée — Aigles d'Australie.
10. Chanceux — Perroquet.
11. Insérer — Toilettes féminines.
12. Stéréophonie — Greffée.

Jeu 129

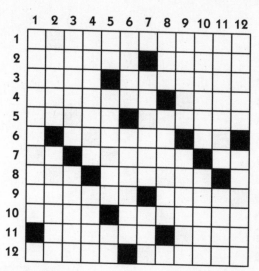

☐ Horizontalement ☐

1. Limitation.
2. Joignit en entrelaçant les torons — Petit écureuil.
3. Capitaine du Nautilus — Habitant de Rome.
4. Fricot — Sur la croix de Jésus.
5. Festivités où on maîtrise des bêtes — Le revers de la médaille.
6. Évitée — Dans.
7. Gadolinium — Sans dents — Titane.
8. Issus — Geste.
9. Qui a la couleur de l'ivoire — Hue.
10. Retour du même son à la fin de deux vers — Convoiter.
11. Laisser — Cheville.
12. Tristes — Embarrassées.

☐ Verticalement ☐

1. Bouder.
2. Apéritif — Fou.
3. Gêné — Amarante.
4. Qui a deux côtés égaux — Quittance.
5. Tibia — Poule — Hassium.
6. Éclot — Mort.
7. Impriment — Région couverte de dunes.
8. Lettre grecque — Général romain.
9. Futé — Du vent.
10. Coupe en tranche fine — Gouvernante.
11. Contesteront — Frustre.
12. Astringent — De l'Ibérie.

Jeu 130

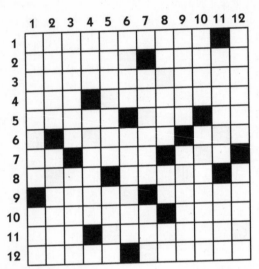

◻ Horizontalement ◻

1. Dégriser.
2. Palmier — Pelle creuse.
3. Comprimable.
4. Agha — Évaluées.
5. Risque — Baudet — Est anglais.
6. Explose — Seule.
7. Neptunium — Fort mince — Terre.
8. Meurtri, en parlant d'un fruit — Rien.
9. Ample — Manufacture.
10. Téléphonée — Dromaiidé.
11. Sudiste — Apériteur.
12. Vagabondas — Femelle de l'âne.

◻ Verticalement ◻

1. Sablant — Blonde enivrante.
2. Louange — Tâter.
3. Fruit de l'érable — Boire à coups de langue.
4. Pièce de charrue — Jaunisse.
5. Myrtille — Tintement lent et répété annonçant la mort.
6. Tentes — Ans.
7. Sculpture — Agence spatiale européenne.
8. Rogne sur les dépenses — Or — Unique.
9. Étêté — Intercalé.
10. Vêtement — Derniers.
11. Remplie — Vous et moi.
12. Pétard — 60 minutes.

Jeu 131

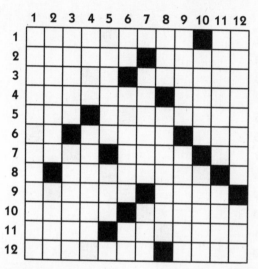

◻ Horizontalement ◻

1. Dépeigner — Radium.
2. Éparpillée — Canard sauvage.
3. Abjectes — Existant.
4. Répugné — Guetté.
5. Ricana — Métis.
6. Germanium — Empereurs — Propre.
7. Décoré — Indication du jour, du mois, de l'année — Sélénium.
8. Enraciné.
9. À partir de — Songe.
10. Des Alpes — Énergie psychique de la pulsion sexuelle.
11. Surveillance — Se mettre au lit (Se).
12. Carburant — Dépourvu de.

◻ Verticalement ◻

1. Débauche.
2. Il tient une épicerie — Nommés.
3. Œil — Vêtements.
4. Bord d'un bois — Finesse.
5. Sorties — Boisson alcoolisée.
6. Fer — Cabrioles — Ordinateur.
7. Porc reproducteur — Attaché.
8. Inflorescence — Étoile de mer.
9. Bords — Volcan de l'Antarctique.
10. Lièvre — Esquiva.
11. Réfutées — Paradis.
12. Offenser — Richesses.

Jeu 132

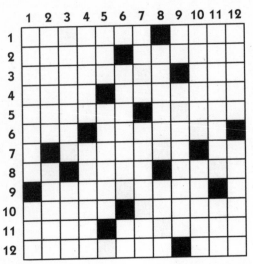

◻ Horizontalement ◻

1. Slip — Pronom personnel.
2. Vorace — Multitude.
3. Sont dignes de — Unité de mesure calorifique.
4. Paré — Inflammation de la peau.
5. Accroché des wagons — Myriapodes.
6. Est couché — Intercaler.
7. Diffuser — Avant-midi.
8. Voyelles — En forme d'œuf — Mélange.
9. Tourmenter.
10. Rage — Soupe à base de pain, d'eau et de beurre.
11. Épouse d'Osiris — Pelotonner (Se).
12. Obscurité profonde — Tente.

◻ Verticalement ◻

1. Terroir — Effectua.
2. Prévenu — Outrepasse.
3. Étoffe artisanale — Filin qui relie une ancre à la bouée.
4. Publie — Misère.
5. Démonstratif — Lapin.
6. Enlever les dents — Brome.
7. Nichon — Course avec obstacles.
8. Rayer — Pays d'Asie.
9. Existes — Longuement.
10. Susceptible de tomber — Muse.
11. Textuel — Affirmes.
12. Affectées — Chipie.

Jeu 133

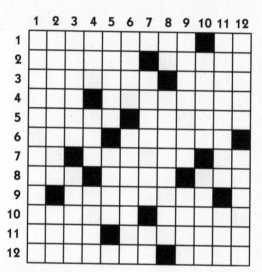

◻ Horizontalement ◻

1. Balles, cartouches — Cube.
2. Débarrasser des puces — Rédigé.
3. Marasques — Conspuai.
4. Point d'union du cheval — Régime politique sous les tsars.
5. Contestera — Travailler.
6. Sorti — Casoar.
7. Sélénium — Greffier — Ruisselet.
8. Sculpteur français — Vrai — Monnaie du Japon.
9. Excitant.
10. Oblige — Regimbait.
11. Entendre — Naturiste.
12. Grands oiseaux coureurs — Chevilles.

◻ Verticalement ◻

1. Automatisation.
2. Stériliser du lait — Transmuta.
3. Gouvernantes — Problème.
4. Pas ailleurs — Ruisselets — Point cardinal.
5. Éprouva — Hurlements.
6. Colères — Averti.
7. Instrument servant à mesurer le temps — Coutumes.
8. Venu au monde — Astucieux.
9. Division d'une religion en religions distinctes — Obscurité.
10. De la Russie — Congestion.
11. Ligne droite qui passe par le centre d'un cercle — Suffixe.
12. Canal — Accords.

Jeu 134

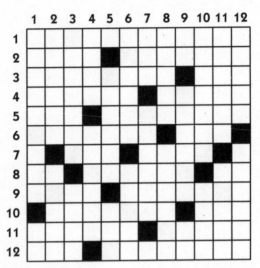

☐ Horizontalement ☐

1. Machine à photocopier.
2. Vêtement — Économie.
3. Au-delà des mers — Plante textile.
4. Trinité — Opalescent.
5. Partie de la couronne — Empoche.
6. Jeu de cartes — Issue.
7. Connus — Baccalauréats.
8. Article — Coriace — Opus.
9. Volcan de Sicile — Fraisage.
10. Type qui possède des rentes — Fleuve d'Afrique.
11. Capitale du Massachusetts — Valeureux.
12. On les mentionne toujours avant les autres — Fêter.

☐ Verticalement ☐

1. Ensemble des règles à observer en matière d'étiquette — Avalé.
2. Cri d'enthousiasme — Excrément.
3. Reçois — Lac d'Écosse.
4. Un billion — Tellement.
5. Urfa — Camelote.
6. Substance qui recouvre l'ivoire — Nabote.
7. Trou dans un mur — Complot.
8. Misa — Mordant.
9. Infinitif — Nettoyés à l'eau — Rubidium.
10. Édifices religieux — Anarchiste.
11. Joigne — Arc brisé.
12. Prénom féminin — Énumérer une lettre à la fois.

Jeu 135

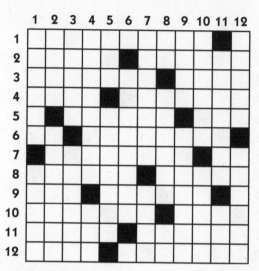

	1	2	3	4	5	6	7	8	9	10	11	12
1												
2												
3												
4												
5												
6												
7												
8												
9												
10												
11												
12												

◻ Horizontalement ◻

1. Associé d'une société.
2. Farfadet — Orifice du larynx.
3. Poisser — Non apprêtés.
4. Bride — Rôti.
5. Poinçon — Terre.
6. Existes — Divisé en trois parties.
7. Pigment jaune ou rouge présent chez certains végétaux et animaux — Erbium.
8. Septième art — Fermer.
9. Euh — Petit du mouton.
10. Immobilisée — Moiré.
11. Bourgmestre — Colonne vertébrale.
12. Bavardes — Amiante.

◻ Verticalement ◻

1. Hirondelle de mer — Pré.
2. Décoré — Couperai du bois.
3. Heurte — Absence d'urine dans la vessie.
4. Analphabète — Légumineuses.
5. Nommé — Épice.
6. Maison de campagne retirée.
7. Saisi — Issues.
8. Lui — Session — Bande de fréquences publique.
9. Rochers — Pause.
10. Pas large — Oui.
11. Du tulle — Explosif.
12. Blessée — Rattachée.

Jeu 136

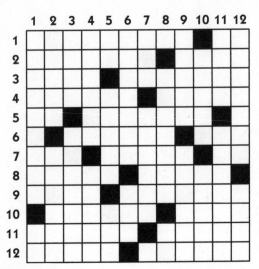

	1	2	3	4	5	6	7	8	9	10	11	12
1												
2												
3												
4												
5												
6												
7												
8												
9												
10												
11												
12												

◻ Horizontalement ◻

1. Incontesté — Neptunium.
2. Rassemblées — À eux.
3. Arène — Petite lame.
4. Conseillère secrète — Élargit une ouverture.
5. Sélénium — Blanc de l'œuf.
6. Hirondelle de mer — Spinnaker.
7. Époque — Coloré — Champion.
8. Sous-sols — Canal.
9. Aventure intérieure — Étêter.
10. Isolé — Cuvette.
11. Écimée — Gaélique.
12. Blessée — Combattre le taureau.

◻ Verticalement ◻

1. Irrévérence — Article étranger.
2. Cocaïne — Pénurie.
3. Monticule de sable — Voies de fait.
4. Sans gratitude — Étonné.
5. Note — Îlots — Bramé.
6. Fêté — Saison.
7. États-Unis — Qui vient en premier, immédiatement après une dizaine, une centaine, un millier.
8. Agenda — Cobalt.
9. Écolier — Sonner.
10. Orignaux — Maire.
11. Idiots — Proches.
12. Avertissement préalable — Raire.

Jeu 137

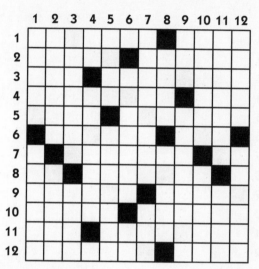

❒ Horizontalement ❒

1. Se dit d'une voix très puissante — Nombre.
2. Rôder — Bouverie.
3. Sudiste — Empaqueter.
4. Oubli — Ur.
5. Courant marin (El) — Composé défini d'azote et d'un métal.
6. Analyses — Cri de douleur.
7. Allongées — Radium.
8. Lui — Alerter.
9. Signe — Halogène.
10. Un peu sur — Femelle du singe.
11. Époque — Amouracher (S').
12. Réensemence — Crâne.

❒ Verticalement ❒

1. Conformément à — Tourner avec un tournevis.
2. Auge — Amarrage en cordage.
3. Épuisé — Molasse.
4. Venu au monde — Robe de prêtre.
5. Beaucoup — Gonflée.
6. Matière inorganique dure — Prométhium.
7. Replanter des arbres — Volonté.
8. Tellement — Voilé.
9. Arbre de l'Inde — Coupèrent la barbe.
10. Fasciné — Circulaire.
11. Sangloter — Décédé.
12. Notre planète — Conduite.

Jeu 138

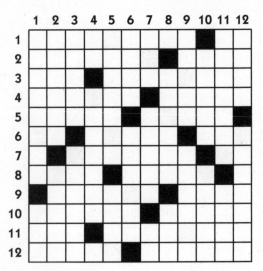

Jeu 139

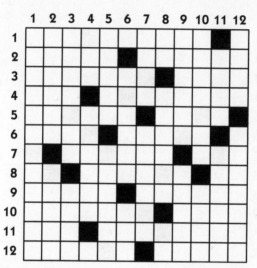

□ **Horizontalement** □

1. Persécuter.
2. La Scala — Du côté de.
3. Gravité — Oiseau échassier.
4. Roue à gorge — Charpente.
5. Chaussure — Éclata.
6. Obtenues — Mur de soutènement sur un talus pour maintenir la terre.
7. Île de l'Italie — Du verbe rire.
8. Erbium — Cesse — Venu au monde.
9. Barbotte — Soldes.
10. Longtemps lorsque belle — Somnoles.
11. Nommé — Pas entendu.
12. Qui coupe une autre ligne — Estoniens.

□ **Verticalement** □

1. Oiseaux qui roucoulent.
2. Peuplier blanc — Trompé.
3. Courses de bateaux — Machin.
4. Mesure agraire — Asiatique.
5. Chose exquise — Idiot.
6. Être appliqué comme enduit — Explosif.
7. Pareil — Haussée.
8. Sélénium — Dureté — Démonstratif.
9. Parer — Endossement.
10. Décourager — Totalité.
11. Ricanera — Inactif.
12. Asseau — Pétards.

Jeu 140

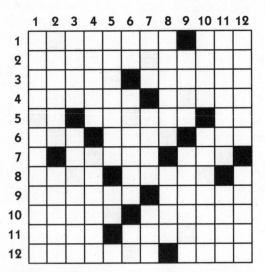

◘ Horizontalement ◘

1. Jouer à la Bourse — Thymus du veau.
2. Baigneraient.
3. Indifférent — Aplati.
4. Intercalé — Générateur d'ondes électromagnétiques.
5. Scandium — Ordonnes — Canadien National.
6. Carabosse — Aperçu — Saison.
7. Petit pied — Bouquinée.
8. Audace — Oiseaux.
9. Poisson d'eau douce européen — Demeura.
10. Mammifère lémurien — Lieu de travail.
11. Rouille — Affectueuse.
12. Contesteront — Étoile de cinéma.

◘ Verticalement ◘

1. Contentement.
2. Monarque — Devenu rance.
3. Périodes — Étendre.
4. Codifier — Enduire d'encre.
5. Utiliserait — Interjection.
6. Article — Vivant dans le sol — Année.
7. Époque — Timide — Unité élémentaire de capacité de stockage d'information.
8. Volée — Pied-de-veau.
9. Te rendras — Attacheras.
10. Roues à gorge — Du verbe avoir.
11. Abeille ou taon — Tante.
12. Hirondelle de mer — Philosophe allemand.

Jeu 141

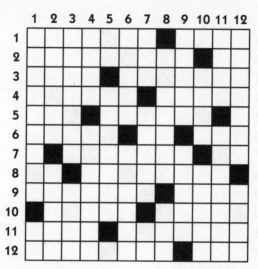

◻ Horizontalement ◻

1. Cachetés — Choisis.
2. Matières pour la construction — Redevable.
3. Petite nouvelle — Dénoncer.
4. Dépouillée — Chanteur canadien.
5. Trois fois — Prêcher.
6. Prénom féminin — Bismuth — Serré.
7. Tumeur maligne — Lien.
8. Coutumes — Brutalité.
9. Attelle — Cette chose.
10. Ventilés — Astringent.
11. Presse — Étripé.
12. Répété sans cesse — À lui.

◻ Verticalement ◻

1. Argile servant à dégraisser la laine — Patrie d'Abraham.
2. Dissimuler — Poisson-perroquet.
3. Aériens — Héritage.
4. Prénom masculin — Bateaux.
5. Lawrencium — Stérilise du lait.
6. Canard — Gousses.
7. Classification pour l'huile — Modeste offrande — Versus.
8. Qui exprime un avis commun — Cheville.
9. Évasion — Vente aux enchères.
10. Après le moment prévu — Cennes.
11. Pareil — Renommer.
12. Soubresaut — Baudets.

Jeu 142

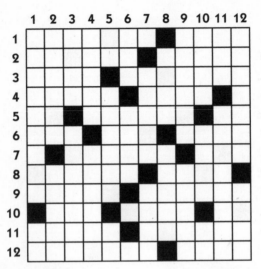

□ **Horizontalement** □

1. Isoler — Béquille.
2. Canal d'écoulement formé d'un assemblage de noues — Conduit souterrain servant à évacuer l'eau des sols trop humides.
3. Ricaner — Ordonnée.
4. Actionné — Diffuse.
5. Démonstratif — Bel homme — Possède.
6. Préfixe — Suffixe — Totalité.
7. Inscrites — Sainte.
8. Sépias — Traverse.
9. Griller — Homme très riche.
10. Intérieur du pain — Cri sourd — Cuivre.
11. Côté situé vers le haut d'une pente — Aplati.
12. Lourdeur — Attachée.

□ **Verticalement** □

1. Ancrer — Aluminium.
2. Bonzes — Prénomme.
3. Arrivé à maturité — Friction de la peau avec une substance oléagineuse.
4. Théologien musulman — Est.
5. Note — Publier — Tellure.
6. Lettre grecque — Enlèves.
7. Embarrassée — Dispendieux.
8. Moitié — Caillé.
9. Prénom masculin — Criminel.
10. Doigté — Tentas — Ici.
11. Cri de douleur — Oiseau coureur.
12. Nouvelle — Transpiration abondante.

Jeu 143

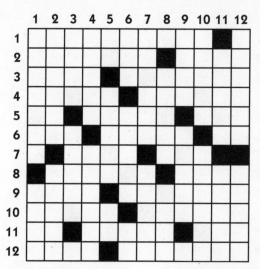

▫ Horizontalement ▫

1. Astronaute.
2. Qui contiennent de l'opium — Bois d'un arbre africain.
3. Poison végétal — Force navale.
4. Cheville de fer — Imaginaire.
5. Coutumes — Arrivé — Artère.
6. Type — Vantée — Xénon.
7. Palmier — Hallucinogène.
8. Philtre d'amour — Frère d'Abel.
9. Spiritueux — Légère et folâtre.
10. Muscle du corps humain — Comprendre.
11. Tellure — Sakieh — Enlevé.
12. Estonien — Fou.

▫ Verticalement ▫

1. Tradition — Capable.
2. Objecté — Anneaux en cordage.
3. Couche superficielle du globe terrestre — Oiseau des forêts tropicales.
4. Amplificateur de micro-ondes — Rit.
5. Dialecte — Service télégraphique — Sud-ouest.
6. Issue — Dangereux — Ricané.
7. Ponctuel — Compagnon de Batman.
8. Méchant — Fis confiance (Te).
9. Empereur — Étoffe croisée de laine.
10. Canard — Unité de mesure de masse.
11. Brave, vaillant — Îlots.
12. Contenu d'une poêle — Dieu marin.

Jeu 144

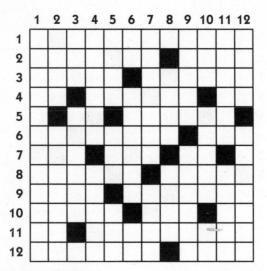

▢ Horizontalement ▢

1. Transformer en donnant une beauté et un éclat inhabituels.
2. Raconter — Épopée familiale.
3. Divertit — Monnaie de la Russie.
4. Ici — Solitaire — Lui.
5. Cela — Singes.
6. Rendre public — Issus.
7. Partie de la couronne — Réfuté — Carat.
8. Bouchon — Ventiler.
9. Obtempéré — Personne qui n'est payée qu'au salaire minimum.
10. Mouvement périodique de la mer — Opéré — Deux romains.
11. Dans le vent — Caillant.
12. Prénom masculin — Mer.

▢ Verticalement ▢

1. Intervention consistant en une ouverture chirurgicale de la trachée au niveau du cou.
2. Prénom masculin — Charrue métallique.
3. Aluminium — Se couvrir de crème, en parlant du lait.
4. Narine du cheval — Morceau.
5. Étoile de cinéma — Procris — Agent secret.
6. Fer — Matinées — Année.
7. Agacée — Balthazar.
8. Enlever — Strident.
9. Courant — Prénom féminin.
10. Supplément — S'engagea — Argent.
11. Clergé — Instrument chirurgical.
12. Claude Vorilhon — Audience suspendue.

Jeu 145

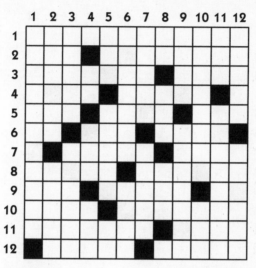

◻ Horizontalement ◻

1. Budgétisation.
2. Interjection espagnole — Supprimas.
3. Clarté — Dieu gaulois.
4. Étoffe drapée indienne — Terre maigre.
5. Enlevé — Équipé — Muet.
6. Moi — Classification pour l'huile —
   Cutiréaction.
7. Mouvement périodique de la mer —
   Spolia.
8. Fort connu — Bander.
9. Unité élémentaire de capacité de
   stockage d'information — Utilisera —
   Note.
10. Qui n'appartient pas au clergé —
    Derniers.
11. Cerna — Disque.
12. Abri de toile — Fouteau.

◻ Verticalement ◻

1. Mangeable.
2. Sel de l'acide oléique — Attachant.
3. Unité principale de longueur —
   Caractère de ce qui est mat.
4. Titane — Oncle d'Amérique — Stupide.
5. Cheville — Sainbois — Note.
6. Modifiée — Certaine.
7. Ale — Décomposa un mot.
8. Préfixe — Bisou — Adresse.
9. Endroit — Relatif au cubitus.
10. Abeilles et taons — Terme.
11. Lettre grecque — Personne dont le
    métier est de prendre des oiseaux.
12. Tentative — Nivelée.

Jeu 146

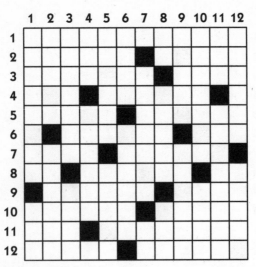

◻ Horizontalement ◻

1. Vaccination.
2. Bonzes — Pus.
3. Dirigeante — État d'Afrique.
4. Perroquet — Du renard.
5. Nouvelle — Instrument agricole.
6. Action de doser — À toi.
7. La Nativité — Bergers.
8. Tour — Sommet — Tellure.
9. Qui se présente sous forme de doigts — Cil.
10. Toleara — Morceau exécuté par l'orchestre entier.
11. Époque — Personne qui nie.
12. Kitsch — Aiguisée.

◻ Verticalement ◻

1. Intrinsèque — Trois fois.
2. Lagune — Déchet.
3. Fait de petites manières — Petite île.
4. Seule — Infidèle.
5. Nouvelles — Instrument de musique.
6. Sorti — Disciple.
7. Émondage — Gallium.
8. Champion — Parée — Bruit sec.
9. Petit écureuil — Célèbre.
10. Futilité — Enlever.
11. Ancien oui — Redonné.
12. Cocaïnes — Choisir.

Jeu 147

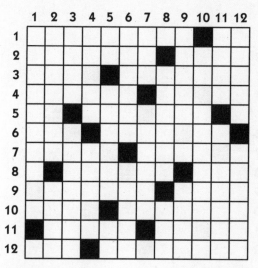

◻ Horizontalement ◻

1. Encastrer — Se rend.
2. Gré — Essayer.
3. Dieu solaire égyptien — Avance.
4. Manoir — Secousse.
5. Patrie d'Abraham — Batifoler.
6. Cri de douleur — Agricole.
7. Étiré — Commente.
8. Baraque — Terne.
9. Phoques — Gouverné.
10. Habitations — Décourager.
11. Fragile — Notre planète.
12. Tente — Déclinées.

◻ Verticalement ◻

1. Expulsion.
2. Fait par un notaire — Cheveux.
3. Fermé — Supervise.
4. Déshonneur — Bassin.
5. Année — Surpris — Lawrencium.
6. Camp de prisonniers, en Allemagne — Ventilée.
7. Aride — Grande inquiétude.
8. Hydrocarbure saturé — Unité de mesure calorifique.
9. Épice — Voies urbaines.
10. Instrument servant à mesurer la courbure des surfaces sphériques.
11. Refus — Tablette.
12. Os de poissons — Allongés.

Jeu 148

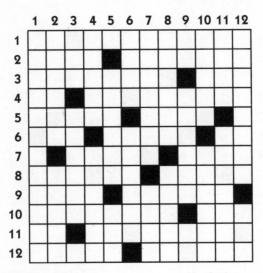

| | 1 | 2 | 3 | 4 | 5 | 6 | 7 | 8 | 9 | 10 | 11 | 12 |

❏ Horizontalement ❏

1. Automatisation.
2. Ville du Québec — Nouvelle.
3. Axent — Incendie.
4. Ruisselet — Redonner.
5. Retirées — Opinion.
6. Démonstratif — Ardente — Étain.
7. Assemblée politique — Exprimée.
8. Ranger — Brides.
9. Femme et soeur de Zeus — Niveler.
10. Vaisseau spatial — Cubes.
11. Article — Qui concerne la tutelle.
12. Rôder — Demeurât.

❏ Verticalement ❏

1. Qui a une grosse tête.
2. Révolte — Blesser.
3. Stupide — Terre essartée.
4. Planète — Isolé.
5. Gomme — Ur.
6. Colères — Responsable.
7. Humant — Raire.
8. Travaillante — Gagne.
9. Tellure — Indifférents — Champion.
10. Inné — Original.
11. Enlevée — Mesurera au stère.
12. Cellules nerveuses — Manche.

Jeu 149

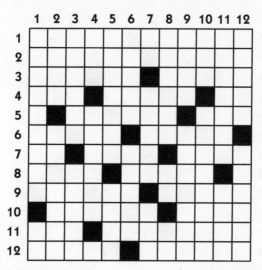

◻ Horizontalement ◻

1. Légalement.
2. Donner un caractère américain à.
3. Septième art — Catastrophe.
4. Bison — Bière — Éminence.
5. Faute — Roi de Juda.
6. Munie d'une anse — Rebord plié.
7. Satellite — Membre rattaché à l'épaule — Spolia.
8. Regimber — Récompense cinématographique.
9. Vagabondant — Italien.
10. Tondues — À moitié.
11. Du verbe avoir — Borderie.
12. Nombre — Aplati.

◻ Verticalement ◻

1. Lacuneux — Astate.
2. Prince musulman — Alimenter.
3. Embarrassées — Muse.
4. Colère — Partie d'un gant qui recouvre le bras.
5. Estampiller — Pâtés impériaux.
6. Fils de Dédale — Herbe de saint Christophe.
7. À moi — Femelle de l'ours — Sainte.
8. Tolère — Stéradian — Actinium.
9. Reflète — Joie.
10. Agence spatiale européenne — Préviendra.
11. Déesse de la vengeance — Alliés.
12. Double point — Amie.

Jeu 150

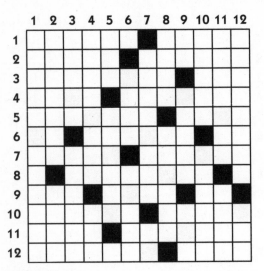

☐ Horizontalement ☐

1. Éthique — Inscrite.
2. Seul — Obusiers.
3. Attireras — Terre.
4. Pli — Écorcher la peau.
5. Avertir d'un danger — Troisième fils de Jacob.
6. Lui — Ouverture du nez — Dans.
7. Volage — Travail.
8. Petit bobo.
9. Agent secret — Surveillance — Deux romains.
10. Relatives au raisin — Placé.
11. Cassier — Il pratique l'élevage.
12. Évaluée — Périodes.

☐ Verticalement ☐

1. Mitraillette.
2. Argent — Ornements en forme d'œuf.
3. Circulaire — Encombrant.
4. Se relayer — Monnaies roumaines.
5. Sudiste — Pesage.
6. Raire — Missile.
7. Traîneau — Article.
8. Elle fait des recherches spatiales — Impartial.
9. Nous — Iris ou rose — Prière.
10. Tableau — Marbrer.
11. Soutirer — Aven.
12. Alcaloïdes toxiques — Légumineuses.

Solutions

Solutions

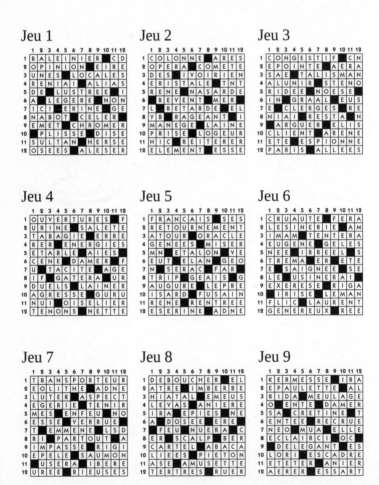

Jeu 1

	1	2	3	4	5	6	7	8	9	10	11	12
1	B	A	L	E	I	N	I	E	R	■	C	D
2	O	P	I	N	I	O	N	■	E	I	R	E
3	U	N	E	S	■	L	O	C	A	L	E	S
4	R	E	N	I	A	I	■	A	L	I	A	S
5	D	E	■	L	U	S	T	R	E	E	■	I
6	A	■	L	E	G	E	R	E	■	N	O	N
7	I	C	I	■	E	R	I	N	E	■	G	E
8	N	A	B	O	T	■	C	E	L	E	R	■
9	E	M	E	T	■	C	H	R	O	M	E	R
10	P	L	I	S	S	E	■	D	I	S	E	■
11	S	U	L	T	A	N	■	H	E	R	S	E
12	O	S	E	E	S	■	A	L	E	S	E	R

Jeu 2

	1	2	3	4	5	6	7	8	9	10	11	12
1	C	O	L	O	N	N	E	■	A	R	E	S
2	O	P	E	R	A	■	C	O	M	E	T	E
3	D	E	S	■	I	V	O	I	R	I	E	N
4	E	R	I	S	T	A	L	E	■	T	N	T
5	R	E	N	E	■	N	A	S	A	R	D	E
6	R	E	V	E	N	T	■	M	E	R	■	
7	L	■	R	E	T	A	R	D	E	■	E	L
8	Y	B	■	R	A	G	E	A	N	T	■	I
9	M	A	N	E	G	E	■	L	A	I	N	E
10	P	R	I	S	E	■	L	O	G	E	U	R
11	H	I	C	■	R	E	I	T	E	R	E	R
12	E	L	E	M	E	N	T	■	E	S	S	E

Jeu 3

	1	2	3	4	5	6	7	8	9	10	11	12
1	C	O	N	G	E	S	T	I	F	■	C	N
2	E	P	O	I	N	T	E	■	A	E	R	A
3	S	A	E	■	T	A	L	I	S	M	A	N
4	A	L	U	N	I	R	■	S	T	E	N	O
5	R	I	D	E	E	■	N	O	E	S	E	■
6	I	N	■	G	R	A	A	L	■	E	U	S
7	E	■	C	L	E	R	G	E	S	■	R	E
8	N	I	A	I	■	R	E	S	T	A	■	N
9	A	R	G	U	E	R	■	E	L	I	S	■
10	C	L	I	E	N	T	■	A	R	E	N	E
11	E	T	E	■	E	S	P	I	O	N	N	E
12	P	A	R	I	S	■	A	L	L	E	E	S

Jeu 4

	1	2	3	4	5	6	7	8	9	10	11	12
1	O	U	V	E	R	T	U	R	E	S	■	F
2	U	R	I	N	E	■	S	A	L	E	T	E
3	T	A	B	A	G	I	E	■	E	R	R	E
4	R	E	R	■	E	N	E	R	G	I	E	S
5	E	T	A	B	L	E	■	A	I	E	S	■
6	C	E	N	E	■	D	A	M	E	R	■	F
7	U	■	T	A	C	I	T	E	■	A	G	E
8	I	F	■	G	A	T	E	R	A	■	U	R
9	D	U	E	L	S	■	L	A	I	N	E	R
10	A	G	R	E	S	S	E	■	G	U	R	U
11	N	U	I	■	O	I	S	E	L	I	E	R
12	T	E	N	O	N	S	■	N	E	T	T	E

Jeu 5

	1	2	3	4	5	6	7	8	9	10	11	12
1	F	R	A	N	C	A	I	S	■	S	E	S
2	R	E	T	O	U	R	N	E	M	E	N	T
3	A	T	O	U	R	■	O	R	A	C	L	E
4	G	E	N	E	E	S	■	M	I	S	E	R
5	M	N	■	E	T	A	L	O	N	■	V	E
6	E	U	T	■	E	L	A	N	■	G	E	O
7	N	■	S	E	R	A	C	■	F	A	R	■
8	T	R	I	P	■	G	E	A	I	S	■	G
9	A	U	G	U	R	E	■	L	E	P	R	E
10	I	S	A	R	D	■	F	U	S	A	I	N
11	R	E	N	E	■	R	E	N	T	R	E	E
12	E	S	E	R	I	N	E	■	A	D	N	E

Jeu 6

	1	2	3	4	5	6	7	8	9	10	11	12
1	C	R	U	A	U	T	E	■	F	E	R	A
2	L	E	S	I	N	E	R	I	E	■	A	M
3	I	M	A	M	■	T	E	N	T	E	R	A
4	E	U	G	E	N	E	■	G	E	L	E	S
5	N	E	E	■	I	R	R	E	E	L	■	S
6	T	R	E	M	A	■	E	R	■	E	T	E
7	E	■	S	A	I	G	N	E	E	■	S	E
8	L	E	■	U	S	I	N	E	R	A	I	■
9	E	X	E	R	E	S	E	■	R	I	G	A
10	I	R	I	S	E	■	L	E	M	A	N	■
11	F	L	I	C	■	L	A	U	R	E	N	T
12	G	E	N	E	R	E	U	X	■	R	E	E

Jeu 7

	1	2	3	4	5	6	7	8	9	10	11	12
1	T	R	A	N	S	P	O	R	T	E	U	R
2	E	O	L	I	T	H	E	■	A	D	N	E
3	L	U	T	E	R	■	A	S	P	E	C	T
4	E	G	E	R	I	E	■	T	E	N	I	R
5	M	E	S	■	E	N	F	E	U	■	N	O
6	E	S	S	E	■	V	E	R	R	U	E	■
7	T	■	E	M	M	E	N	E	■	L	S	D
8	R	I	■	P	A	R	T	O	U	T	■	A
9	I	M	P	A	S	S	E	■	R	I	G	I
10	E	P	E	L	E	■	S	A	U	M	O	N
11	U	S	E	R	A	■	I	B	E	R	E	■
12	U	R	E	E	■	R	I	E	U	S	E	S

Jeu 8

	1	2	3	4	5	6	7	8	9	10	11	12
1	D	E	B	O	U	C	H	E	R	■	E	L
2	A	T	R	E	■	I	M	B	E	R	B	E
3	H	I	A	T	A	L	■	E	M	E	U	S
4	L	E	V	A	S	■	A	N	I	E	R	E
5	I	R	A	■	E	P	I	E	S	■	N	E
6	A	■	D	O	S	E	E	■	E	R	E	■
7	F	E	U	■	N	U	E	R	A	■	C	
8	E	R	■	S	C	A	L	P	■	B	E	R
9	C	A	R	T	E	L	■	A	B	A	C	A
10	L	I	E	E	S	■	P	I	E	T	O	N
11	A	S	E	■	A	M	U	S	E	T	T	E
12	T	E	R	T	R	E	S	■	R	U	E	R

Jeu 9

	1	2	3	4	5	6	7	8	9	10	11	12
1	K	E	R	M	E	S	S	E	■	I	R	A
2	E	P	A	U	L	E	T	T	E	■	A	L
3	R	I	D	A	■	M	E	U	L	A	G	E
4	O	■	E	N	T	E	■	D	A	M	E	R
5	S	A	■	C	R	E	T	I	N	E	■	T
6	E	N	T	E	E	■	R	E	C	R	U	E
7	N	E	O	■	M	U	A	■	E	L	L	E
8	E	C	L	A	I	R	C	I	■	O	C	■
9	D	E	L	E	G	A	N	T	■	E	S	■
10	L	O	R	I	■	E	S	C	A	D	R	E
11	E	T	E	T	E	R	■	A	N	I	E	R
12	A	E	R	E	R	■	E	S	S	A	R	T

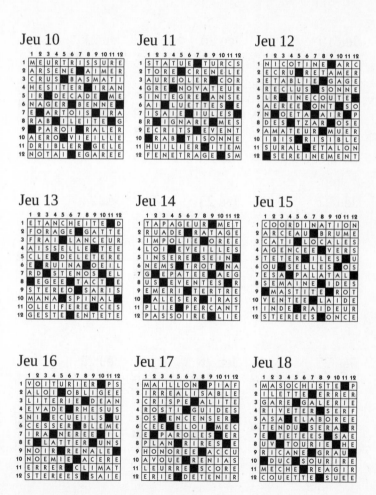

Jeu 10

	1	2	3	4	5	6	7	8	9	10	11	12
1	M	E	U	R	T	R	I	S	S	U	R	E
2	A	R	S	E	N	E		A	I	M	E	R
3	C	R	U	S		B	A	S	M	A	T	I
4	H	E	S	I	T	E	R		I	R	A	N
5	I	R		D	E	C	A	D	E		M	E
6	N	A	G	E	R		B	E	N	N	E	
7	E		A	R	T	O	I	S		I	R	A
8	R	A	B		I	L	E	I	T	E		G
9		P	A	R	O	I		R	A	L	E	R
10	A	E	R	O		V	I	E	I	L	L	E
11	D	R	I	B	L	E	R		G	E	L	E
12	N	O	T	A	I		E	G	A	R	E	E

Jeu 11

	1	2	3	4	5	6	7	8	9	10	11	12
1	S	T	A	T	U	E		T	U	R	C	S
2	T	O	R	E		C	R	E	N	E	L	E
3	A	U	R	E	O	L	E	R		C	O	R
4	G	R	E		N	O	V	A	T	E	U	R
5	I	N	T	E	G	R	E		A	N	S	E
6	A	I		L	U	E	T	T	E	S		E
7	I	S	A	I	E		I	U	L	E	S	
8	R		I	G	N	A	R	E		M	E	S
9	E	C	R	I	T	S		E	V	E	N	T
10		R	A	B		T	I	S	O	N	N	E
11	H	U	I	L	I	E	R		I	T	E	M
12	F	E	N	E	T	R	A	G	E		S	M

Jeu 12

	1	2	3	4	5	6	7	8	9	10	11	12
1	N	I	C	O	T	I	N	E		A	R	C
2	E	C	R	U		R	E	T	A	M	E	R
3	E	T	A	B	L	I	E		G	A	G	E
4	R	E	C	L	U	S		S	O	N	N	E
5	L	R		I	N	E	C	O	U	T	E	
6	A	E	R	E	E		O	N	T		S	O
7	N		O	E	T	A		A	I	R		P
8	D	E	S		T	Z	A	R		O	S	E
9	A	M	A	T	E	U	R		M	U	E	R
10	I	B	I	S		R	I	S	I	B	L	E
11	S	U	R	A	L		E	T	A	L	O	N
12		S	E	R	E	I	N	E	M	E	N	T

Jeu 13

	1	2	3	4	5	6	7	8	9	10	11	12
1	E	T	A	N	C	H	E	I	T	E		D
2	F	O	R	A	G	E		G	A	T	T	E
3	F	R	A	I		L	A	N	C	E	U	R
4	A	I	S	S	E	L	L	E		T	E	E
5	C	L	E		D	E	L	E	T	E	R	E
6	E		R	U	I	N	A		O	E	I	L
7	R	D		S	T	E	N	O	S		E	L
8	E	G	E	E		T	A	C	T		E	
9	S	T	E	R	E	O		S	A	R	I	S
10	M	A	N	A		S	P	I	N	A	L	
11	O	L	E	I	F	E	R	E		C	E	S
12	G	E	S	T	E		E	N	T	E	T	E

Jeu 14

	1	2	3	4	5	6	7	8	9	10	11	12
1	T	A	P	A	G	E	U	R		M	E	T
2	R	U	A	D	E		R	A	T	A	G	E
3	I	M	P	O	L	I	E		O	R	E	E
4	L	O	I		E	V	E	I	L	L	E	S
5	I	N	S	E	R	E		S	E	I	N	
6	N	E	M	S		T	R	O	T		N	A
7	G		E	P	A	T	E	E		A	E	G
8	U	S		E	V	E	N	T	E	S		R
9	E	M	E	R	I		T	E	R	T	R	E
10		A	L	E	S	E	R		I	R	A	S
11	P	L	I	E		P	E	R	C	A	N	T
12	P	A	S	S	O	I	R	E		L	I	E

Jeu 15

	1	2	3	4	5	6	7	8	9	10	11	12
1	C	O	O	R	D	I	N	A	T	I	O	N
2	A	R	C	E	A	U		B	R	U	M	E
3	C	A	T	I		L	O	C	A	L	E	S
4	A	G	E	N	C	E	E		V	E	R	S
5	T	E	T	E	R		I	L	E	S		U
6	O	U		S	E	L	L	E	S		O	S
7	E	S	A		P	A	L	A	T	A	L	
8	S	E	M	A	I	N	E		I	D	E	S
9		M	A	S	T	I	T	E		R	O	T
10	V	E	N	T	E	E		L	A	I	D	E
11	I	N	D	E		R	A	I	D	E	U	R
12	S	T	E	R	E	E	S		O	N	C	E

Jeu 16

	1	2	3	4	5	6	7	8	9	10	11	12
1	V	O	I	T	U	R	I	E	R		P	S
2	A	L	O	I		O	B	L	I	G	E	E
3	L	I	T	E	R	I	E		D	E	A	N
4	E	V	A	D	E		R	H	E	S	U	S
5	N	I		E	C	U	E	I	L	S		U
6	C	E	S	S	E	R		B	L	E	M	E
7	I	R	A		N	E	R	E	E		I	L
8	E		L	A	T	T	E	R		U	N	S
9	N	O	I	R		R	E	N	A	L	E	
10	N	O	E	M	I	E		A	C	E	R	E
11	E	R	R	E	R		C	L	I	M	A	T
12	S	T	E	R	E	E	S		S	A	I	E

Jeu 17

	1	2	3	4	5	6	7	8	9	10	11	12
1	M	A	I	L	L	O	N		P	I	A	F
2	I	R	R	E	A	L	I	S	A	B	L	E
3	C	R	I	S	P	E		A	L	I	T	E
4	R	O	S	T	I		G	U	I	D	E	S
5	O	S		E	N	C	E	N	S	E	R	
6	C	E	E		E	L	O	I		M	E	C
7	E		P	A	R	O	L	E	S		E	R
8	P	L	A	N		R	I	R	E	S		E
9	H	O	N	O	R	E	E		A	C	C	U
10	A	V	O	U	E		R	E	N	I	A	S
11	L	E	U	R	R	E		S	C	O	R	E
12	E	R	I	E		D	E	T	E	N	I	R

Jeu 18

	1	2	3	4	5	6	7	8	9	10	11	12
1	M	A	S	O	C	H	I	S	T	E		P
2	I	L	E	T	T	E		E	R	R	E	R
3	G	A	R	E		G	A	L	E	R	I	E
4	R	I	V	E	T	E	R		S	E	R	F
5	A	S	A		E	L	A	B	O	R	E	E
6	T	E	N	D	U		S	E	R	A		R
7	E		T	E	T	E	E	S		S	A	E
8	U	V		T	O	U	R	I	E		H	E
9	R	I	C	A	N	E		G	R	A	U	
10		D	U	C		S	O	U	R	I	R	E
11	M	E	C	H	E		R	E	A	G	I	R
12	C	O	U	E	T	T	E		S	U	E	E

Solutions

Jeu 19

```
    1  2  3  4  5  6  7  8  9 10 11 12
1   C  E  I  N  T  U  R  E  ■  P  I  F
2   O  N  D  E  E  S  ■  P  R  E  L  E
3   N  I  E  R  ■  E  C  A  I  L  L  E
4   S  E  M  E  E  ■  H  I  D  E  U  R
5   E  M  ■  E  C  R  A  S  E  ■  M  I
6   N  E  F  ■  H  O  U  S  S  A  I  E
7   T  ■  G  N  A  U  L  E  ■  T  N  ■
8   E  L  ■  E  L  F  E  ■  E  T  A  T
9   M  A  G  M  A  ■  R  E  P  E  T  E
10  E  P  A  R  S  E  ■  P  A  R  I  S
11  N  E  M  O  ■  P  I  E  R  R  O  T
12  T  R  A  D  U  I  R  E  ■  E  N  A
```

Jeu 20

```
    1  2  3  4  5  6  7  8  9 10 11 12
1   P  R  E  C  E  D  E  M  M  E  N  T
2   A  E  R  A  G  E  ■  D  E  C  O  R
3   S  C  A  R  O  L  E  ■  L  O  T  I
4   C  O  T  E  ■  A  P  P  O  S  E  R
5   A  N  O  N  E  ■  O  I  E  S  ■  E
6   L  V  ■  E  B  E  N  E  ■  E  R  G
7   E  L  ■  A  R  G  U  E  ■  E  N  ■
8   T  R  A  C  H  E  E  ■  M  I  S  E
9   O  S  I  R  I  S  ■  F  A  C  E  ■
10  L  I  T  E  E  ■  C  A  N  A  R  D
11  L  O  U  E  ■  M  I  N  E  R  V  E
12  E  N  E  R  G  I  E  ■  R  E  E  R
```

Jeu 21

```
    1  2  3  4  5  6  7  8  9 10 11 12
1   H  I  R  S  U  T  E  ■  P  A  R  C
2   A  C  H  E  ■  E  T  A  M  P  E  R
3   U  T  E  R  I  N  E  S  ■  A  C  E
4   T  E  T  A  R  D  ■  S  E  R  U  M
5   U  R  E  ■  R  U  P  E  S  T  R  E
6   R  E  U  N  I  ■  E  N  T  E  E  ■
7   I  ■  R  A  T  E  L  E  R  ■  U  V
8   E  S  ■  C  E  L  E  ■  A  G  R  O
9   R  I  P  E  ■  A  R  I  D  E  ■  T
10  ■  T  A  L  O  N  ■  B  E  L  E  R
11  M  A  R  L  I  ■  C  I  S  E  L  E
12  C  R  U  E  L  L  E  S  ■  E  U  S
```

Jeu 22

```
    1  2  3  4  5  6  7  8  9 10 11 12
1   S  U  G  G  E  R  E  ■  V  O  L  T
2   E  N  I  E  M  E  ■  M  O  M  I  E
3   L  I  T  S  ■  A  T  E  L  I  E  R
4   E  T  E  T  E  ■  W  A  T  T  ■  M
5   N  E  ■  E  M  B  E  T  E  ■  S  I
6   I  S  O  ■  U  R  E  ■  R  E  I  N
7   Q  ■  P  E  L  A  D  E  ■  I  R  E
8   U  S  I  T  E  S  ■  T  A  R  O  ■
9   E  P  A  I  S  ■  P  U  R  E  T  E
10  ■  A  C  E  ■  M  I  D  I  ■  E  N
11  C  H  E  R  E  ■  P  E  D  A  N  T
12  H  I  R  S  U  T  E  ■  E  S  T  E
```

Jeu 23

```
    1  2  3  4  5  6  7  8  9 10 11 12
1   L  E  G  I  T  I  M  I  T  E  ■  B
2   U  P  E  R  I  S  E  ■  A  V  A  L
3   I  U  L  E  ■  O  C  A  R  I  N  A
4   S  I  E  N  S  ■  A  G  I  T  A  S
5   A  S  ■  E  M  A  N  E  ■  A  L  E
6   N  E  E  ■  A  L  O  E  S  ■  E  R
7   T  ■  S  A  L  I  ■  S  I  C  ■  ■
8   ■  S  T  R  A  S  S  ■  C  H  A  T
9   A  L  E  A  ■  E  C  O  L  I  E  R
10  B  A  R  B  E  ■  A  P  E  U  R  E
11  U  V  ■  I  D  O  L  E  ■  R  E  M
12  S  E  V  E  ■  P  A  S  S  E  R  A
```

Jeu 24

```
    1  2  3  4  5  6  7  8  9 10 11 12
1   R  E  C  O  N  F  O  R  T  E  E  S
2   E  R  R  E  U  R  S  ■  O  S  L  O
3   C  O  U  D  E  ■  S  O  R  T  I  R
4   O  S  ■  E  R  N  E  S  T  ■  D  E
5   U  ■  A  M  ■  A  I  E  U  L  E  ■
6   V  A  S  E  L  I  N  E  ■  I  R  A
7   R  I  S  ■  I  T  E  ■  D  R  ■  N
8   E  L  U  D  E  R  ■  P  E  A  G  E
9   M  E  M  E  ■  E  M  A  C  I  E  R
10  E  T  E  N  D  ■  A  L  I  ■  S  I
11  N  T  ■  S  U  B  L  I  M  I  T  E
12  T  E  L  E  S  K  I  ■  E  R  E  S
```

Jeu 25

```
    1  2  3  4  5  6  7  8  9 10 11 12
1   A  S  S  I  M  I  L  A  T  I  O  N
2   G  O  I  ■  I  N  I  M  I  T  I  E
3   R  U  S  T  I  N  E  ■  P  A  L  I
4   I  D  E  E  ■  O  U  T  I  L  ■  G
5   C  A  S  ■  O  M  E  R  ■  I  P  E
6   U  N  ■  S  A  M  ■  I  R  E  S  ■
7   L  ■  B  E  S  E  F  ■  U  N  A  U
8   T  E  R  N  I  ■  L  A  P  S  U  S
9   U  R  E  ■  S  E  A  N  T  ■  T  I
10  R  O  S  E  ■  L  I  E  U  D  I  T
11  E  D  I  T  E  U  R  ■  R  U  E  E
12  ■  E  L  E  V  E  ■  H  E  T  R  E
```

Jeu 26

```
    1  2  3  4  5  6  7  8  9 10 11 12
1   R  E  T  E  N  T  I  S  S  A  N  T
2   E  N  R  O  U  E  ■  S  E  M  E  R
3   A  T  O  N  A  L  E  ■  N  A  S  A
4   C  R  U  ■  N  E  C  T  A  R  ■  N
5   T  A  B  A  C  ■  A  U  T  R  E  S
6   E  ■  L  I  E  R  R  E  ■  E  T  E
7   U  S  E  E  ■  E  T  U  V  E  E  ■
8   R  E  ■  U  L  C  E  R  E  ■  R  F
9   ■  R  E  L  I  E  E  ■  N  O  N  E
10  C  O  R  E  E  N  ■  V  A  R  U  S
11  I  N  O  ■  E  T  R  A  N  G  E  S
12  E  S  S  E  S  ■  A  L  T  E  R  E
```

Jeu 27

```
    1  2  3  4  5  6  7  8  9 10 11 12
1   I  M  I  T  A  T  I  O  N  ■  D  A
2   N  I  V  E  L  E  R  ■  U  N  A  U
3   A  N  E  S  ■  R  A  P  P  O  R  T
4   C  A  S  T  O  R  ■  E  T  U  D  E
5   T  B  ■  A  M  E  R  R  I  R  ■  L
6   I  L  E  ■  B  R  O  C  A  R  D  ■
7   V  E  L  A  R  ■  B  E  L  I  E  R
8   I  ■  I  B  E  R  I  E  ■  S  P  A
9   T  A  M  A  R  I  N  ■  U  S  A  T
10  E  M  E  T  ■  D  E  P  R  A  V  E
11  N  ■  A  N  S  E  E  L  E  G  E  R
12  E  S  T  ■  R  E  M  I  S  E  R  A
```

Solutions

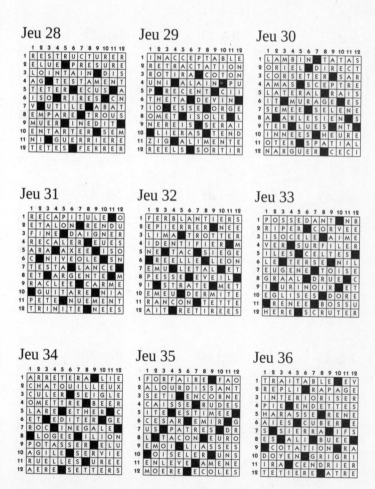

Jeu 28

	1	2	3	4	5	6	7	8	9	10	11	12
1	R	E	S	T	R	U	C	T	U	R	E	R
2	E	L	U	E		P	R	E	S	U	R	E
3	L	O	I	N	T	A	I	N		D	I	S
4	A	G		T	E	S	T	A	M	E	N	T
5	T	E	T	E	R		E	C	U	S		A
6	I	S	O		R	I	R	E	S		C	N
7	V		U	T	I	L	E		A	B	A	T
8	E	M	P	A	R	E		T	R	O	U	S
9	M	U	E	R		I	N	E	D	I	T	
10	E	N	T	A	R	T	E	R		S	E	M
11	N	I		G	U	E	R	R	I	E	R	E
12	T	E	T	E	S		F	E	R	R	E	R

Jeu 29

	1	2	3	4	5	6	7	8	9	10	11	12
1	I	N	A	C	C	E	P	T	A	B	L	E
2	R	E	T	R	A	C	T	A	T	I	O	N
3	R	O	T	I	R	A		C	O	T	O	N
4	U	N	I		A	L	A	I	N		P	U
5	P		R	E	C	E	N	T		C	I	I
6	T	H	E	T	A		D	E	V	I	N	
7	I	O		E	S	S	E		O	R	G	E
8	O	M	E	T		I	S	O	L	E		L
9	N	E	R	E	I	S		S	E	R	A	I
10		L	I	E	R	A	S		T	E	N	D
11	Z	I	G		A	L	I	M	E	N	T	E
12	R	E	E	L	S		S	O	R	T	I	R

Jeu 30

	1	2	3	4	5	6	7	8	9	10	11	12
1	L	A	M	B	I	N		T	A	T	A	S
2	O	R	I	E	L		D	I	R	E	C	T
3	C	O	R	S	E	T	E	R		S	A	R
4	A	M	A	S		S	C	E	P	T	R	E
5	L	A	T	E	R	A	L		R	A	I	S
6	I	T		M	U	R	A	G	E		E	S
7	S	E	M	E	E		S	E	L	E	N	E
8	A		A	R	L	E	S	I	E	N		S
9	T	E	R		L	U	E	S		N	T	
10	I	N	N	E	E	S		H	E	U	R	E
11	O	T	E	R		S	P	A	T	I	A	L
12	N	A	R	G	U	E	R		C	E	C	I

Jeu 31

	1	2	3	4	5	6	7	8	9	10	11	12
1	R	E	C	A	P	I	T	U	L	E		O
2	E	T	A	L	O	N		R	E	N	D	U
3	F	I	N	E		D	A	I	G	N	E	R
4	R	E	C	A	L	E	R		E	U	E	S
5	A	R	A		A	X	E	E		I	S	O
6	C		N	I	V	E	O	L	E		S	N
7	T	E	S	T	A		L	A	N	C	E	
8	E	T		A	R	G	E	N	T	E		M
9	R	A	C	L	E	E		C	A	R	M	E
10		G	U	I	T	A	R	E		N	I	A
11	P	E	T	E		N	U	E	M	E	N	T
12	T	R	I	N	I	T	E		N	E	E	S

Jeu 32

	1	2	3	4	5	6	7	8	9	10	11	12
1	F	E	R	B	L	A	N	T	I	E	R	S
2	E	P	I	E	R	R	E	R		N	E	E
3	L	I	M	A		T	R	O	T	T	E	R
4	I	D	E	N	T	I	F	I	E	R		M
5	N	E		T	A	C		S	I	E	G	E
6		R	E	E	L	L	E		L	E	O	N
7	E	M	U		L	E	T	A	L		E	T
8	P	E	S	S	E		E	V	E	I	L	
9	I		S	T	R	A	T	E		M	E	T
10	E	M	E	U		D	E	R	M	I	T	E
11	R	A	N	C	O	N		T	E	T	T	E
12	A	I	T		R	E	T	I	R	E	E	S

Jeu 33

	1	2	3	4	5	6	7	8	9	10	11	12
1	P	O	S	S	E	D	A	N	T		N	B
2	R	I	P	E	R		C	O	R	V	E	E
3	I	S	O	C	E	L	E		A	I	M	E
4	V	E	R		S	U	R	F	I	L	E	R
5	I	L	E	S		C	E	L	T	E	S	
6	L	E		T	E	R	S	E		N	I	L
7	E	U	G	E	N	E		T	O	I	S	E
8	G	R	A	A	L		D	R	U	E		C
9	I		U	R	I	N	O	I	R		E	T
10	E	G	L	I	S	E	S		D	O	R	E
11		R	E	N	E	E		B	O	S	S	U
12	H	E	R	E		S	C	R	U	T	E	R

Jeu 34

	1	2	3	4	5	6	7	8	9	10	11	12
1	A	R	R	E	T	E	R	A		L	I	E
2	C	H	A	T	O	U	I	L	L	E	U	X
3	C	U	L	E	R		S	E	I	G	L	E
4	O	M	E	T	T	R	E		B	E	E	R
5	L	A	R	E		E	T	H	E	R		C
6	E	T		E	D	I	T	E	R		G	E
7	R	O	C		I	N	E	G	A	L	E	
8		L	O	G	E	E		I	L	I	O	N
9	P	O	T	A	S	S	E	R		E	L	U
10	A	G	I	L	E		S	E	R	V	I	E
11	R	U	E	L	L	E	S		U	R	E	E
12	A	E	R	E		S	E	T	T	E	R	S

Jeu 35

	1	2	3	4	5	6	7	8	9	10	11	12
1	F	O	R	F	A	I	R	E		F	A	O
2	A	L	O	U	R	D	I	S	S	A	N	T
3	S	E	T	I		E	N	C	O	R	N	E
4	C	A	I	S	S	E		R	U	D	E	S
5	I	T	E		E	S	T	I	M	E	E	
6	C	E	S	A	R		E	M	I	R		G
7	U	S		P	A	T	R	E	S		D	R
8	L		T	A	C	O	N		E	U	R	O
9	E	M	O	I		L	I	A	S	S	E	S
10		O	I	S	E	L	E	R		U	N	S
11	E	N	L	E	V	E		A	M	E	N	E
12	M	O	E	R	E		E	C	O	L	E	S

Jeu 36

	1	2	3	4	5	6	7	8	9	10	11	12
1	T	R	A	I	T	A	B	L	E		E	V
2	R	E	P	L	I		R	A	P	A	G	E
3	I	N	T	E	R	I	O	R	I	S	E	R
4	P	I	E		E	N	D	E	T	T	E	S
5	H	A	R	A	S	S	E		R	E	N	E
6	A	I	E	S		C	U	B	E	R		E
7	S		S	I	E	R	R	A		I	F	S
8	E	S		A	L	I		B	U	E	E	
9		C	O	T	A	T	I	O	N		R	A
10	D	O	Y	E	N		G	R	I	G	R	I
11	I	R	A		C	E	N	D	R	I	E	R
12	T	E	T	I	E	R	E		A	T	R	E

Solutions

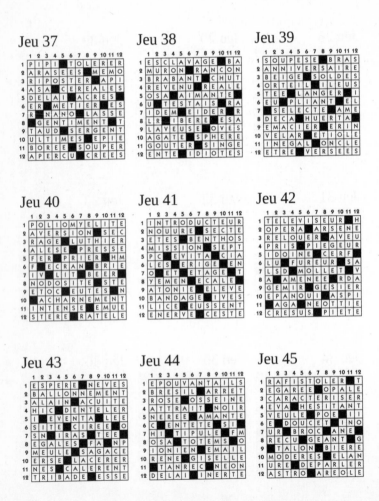

Jeu 37

1	2	3	4	5	6	7	8	9	10	11	12
P	I	P	I			T	O	L	E	R	E
A	R	A	S	E	E	S		M	E	M	O
R	I	P	O	S	T	E	R		A	P	I
A	S	A		C	E	R	E	A	L	E	S
D	E	L	A	I			A	C	R	E	S
E	R		M	E	T	I	E	R		E	S
R		N	A	N	O		L	A	S	S	E
G	E	N	T	I	M	E	N	T		T	
T	A	U	D		S	E	R	G	E	N	T
U	L	T	I	M	E	S		E	P	I	E
B	O	R	E	E		S	O	U	P	E	R
A	P	E	R	C	U		C	R	E	E	S

Jeu 38

1	2	3	4	5	6	7	8	9	10	11	12
E	S	C	L	A	V	A	G	E		B	A
M	U	R	O	N		R	A	N	C	O	N
B	R	A	B	A	N	T		C	H	U	T
R	E	V	E	N	U		R	E	A	L	E
O	S	A		A	I	M	A	N	T	E	
U		T	E	S	T	A	I	S		R	A
I	D	E	M		E	I	D	E	R		R
L	R		I	B	E	R	E		E	S	A
L	A	V	E	U	S	E		O	V	E	S
A	G	A	T	E		S	P	H	E	R	E
G	O	U	T	E	R		S	I	N	G	E
E	N	T	E		I	D	I	O	T	E	S

Jeu 39

1	2	3	4	5	6	7	8	9	10	11	12
S	O	U	P	E	S	E		B	R	A	S
A	N	N	I	V	E	R	S	A	I	R	E
B	E	I	G	E		S	O	L	D	E	S
O	R	T	E	I	L		I	L	E	U	S
T	E	E		L	A	N	G	E	R		I
E	U		P	L	I	A	N	T		E	L
S	E	L	E	C	T	E		A	M	E	
D	E	C	A		H	U	E	R	T	A	
E	M	A	C	I	E	R		E	R	I	N
V	E	L	A	R		E	T	I	O	L	E
I	N	E	G	A	L		O	N	C	L	E
E	T	R	E		V	E	R	S	E	E	S

Jeu 40

1	2	3	4	5	6	7	8	9	10	11	12
P	O	L	I	O	M	Y	E	L	I	T	E
A	V	E	R	S	I	O	N		S	E	C
R	A	G	E		L	U	T	H	I	E	R
A	L	E	S	E		P	R	E	S	S	E
F	E	R		P	R	I	E	R		H	M
F		E	C	R	A	N		B	R	I	E
I	V		L	I	T		B	E	E	R	
N	O	D	O	S	I	T	E		S	T	E
E	T	O	C		E	U	T	E	S		
A	C	H	A	R	N	E	M	E	N	T	
I	N	T	E	N	S	E		E	M	U	E
S	T	E	R	E		R	A	T	E	L	E

Jeu 41

1	2	3	4	5	6	7	8	9	10	11	12
I	N	T	R	O	D	U	C	T	E	U	R
N	O	U	U	R	E		S	E	C	T	E
E	T	E	S		B	E	N	T	H	O	S
M	I	S	S	I	O	N		S	E	P	T
P	C		E	V	I	T	A		C	I	A
L	E	S		E	R	I	G	E		E	N
O		E	T		E	T	A	G	E		T
Y	E	M	E	N		E	C	A	L	E	
A	T	O	N	I	E		E	L	E	V	E
B	A	N	D	A	G	E		I	V	E	S
L	I	C	E		E	U	S	S	E	N	T
E	N	E	R	V	E		C	E	S	T	E

Jeu 42

1	2	3	4	5	6	7	8	9	10	11	12
T	E	L	E	V	I	S	E	U	R		H
O	P	E	R	A		A	R	S	E	N	E
R	E	L	O	U	E	R		A	V	E	U
P	R	I	S		P	I	E	G	E	U	R
I	D	O	I	N	E		C	E	R	F	
L	U		F	U	R	E	U	R		S	A
L	S	D		M	O	L	L	E	T		V
A		A	M	E	N	E	E		R	D	A
G	E	M	I	R		G	E	S	I	E	R
E	P	A	N	O	U	I		A	S	P	I
A	G	A		N	E	O	T	T	I	E	
C	R	E	S	U	S		P	I	E	T	E

Jeu 43

1	2	3	4	5	6	7	8	9	10	11	12
E	S	P	E	R	E		N	E	V	E	S
B	A	L	L	O	N	N	E	M	E	N	T
A	L	A	I	N		A	C	U	I	T	E
H	I	C		D	E	N	T	E	L	E	R
I		E	V	E	N	T	A		L	E	E
S	I	T	E		C	I	R	E	E		O
S	N		I	R	A	S		T	E	E	
E	G	A	L	E	S		F	A		N	P
M	E	U	L	E		S	A	G	A	C	E
E	R	S	E		L	A	C	E	R	E	R
N	E	S		C	A	L	E	R	E	N	T
T	R	I	B	A	D	E		E	S	S	E

Jeu 44

1	2	3	4	5	6	7	8	9	10	11	12
E	P	O	U	V	A	N	T	A	I	L	S
B	R	E	S	I	L		A	R	R	E	T
R	O	S	E		O	S	S	E	I	N	E
A	T	T	R	A	I	T		N	O	I	R
N	E	R	E	E		A	M	A	N	T	E
C		E	N	T	E	T	E		S	I	
H	I		T	I	P	U	L	E		F	M
O	S	A		T	O	T	E	M	S		O
I	O	N	I	E	N		E	M	A	I	L
R	E	N	E		G	I	S	E	L	L	E
T	A	N	R	E	C		N	E	O	N	
D	E	L	A	I		I	N	E	R	T	E

Jeu 45

1	2	3	4	5	6	7	8	9	10	11	12
R	A	F	I	S	T	O	L	E	R		T
E	G	A	R	E	E		O	P	A	L	E
C	A	R	A	C	T	E	R	I	S	E	R
E	V	A		H	E	S	I	T	A	N	T
V	E	U	L	E		P	O	E		I	I
E		D	O	U	C	E	T		I	N	O
U	R		B	R	O	C		A	N	E	
R	E	C	U		G	E	A	N	T		G
T	A	L	O	N		B	I	E	R	E	
M	O	D	E	R	E	S		E	L	A	N
U	R	E		D	E	P	A	R	L	E	R
A	S	T	R	O		A	R	E	O	L	E

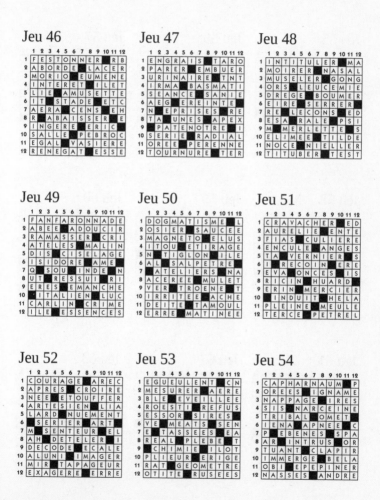

Jeu 46

	1	2	3	4	5	6	7	8	9	10	11	12
1	F	E	S	T	O	N	N	E	R		R	B
2	A	B	O	R	D	E		L	A	C	E	R
3	M	O	R	I	O		E	U	M	E	N	E
4	I	N	T	E	R	E	T		I	L	E	T
5	L	I	E		A	M	U	S	E	T	T	E
6	I	T		S	T	A	D	E		E	T	C
7	A	E	R	A		C	E	N	S		E	H
8	R		A	B	A	I	S	S	E	R		E
9		I	N	G	E	R	E		E	R	I	C
10	S	A	L	L	E		P	E	B	R	O	C
11	E	G	A	L		V	A	S	I	E	R	E
12	R	E	N	E	G	A	T		E	S	S	E

Jeu 47

	1	2	3	4	5	6	7	8	9	10	11	12
1	E	N	G	R	A	I	S		T	A	R	O
2	P	A	R	E	R		E	M	B	U	E	R
3	U	R	I	N	A	I	R	E		T	N	T
4	I	R	M	A		B	A	S	M	A	T	I
5	S	E	A	N	C	E		S	A	N	I	E
6	A	E	G		E	R	E	I	N	T	E	
7	N		E	P	R	I	S	E	S		R	E
8	T	A		U	N	E	S		A	P	E	X
9		P	A	T	E	N	O	T	R	E		I
10	S	E	R	I	E		R	A	D	I	A	L
11	O	R	E	E		P	E	R	E	N	N	E
12	T	O	U	R	N	U	R	E		T	E	R

Jeu 48

	1	2	3	4	5	6	7	8	9	10	11	12
1	I	N	T	I	T	U	L	E	R		M	A
2	M	O	I	R	E	R		N	A	S	A	L
3	M	U	S	E	L	E	R		G	O	N	G
4	O	R	S		L	E	U	C	E	M	I	E
5	D	R	E	G	E		B	O	U	M	E	R
6	E	I	R	E		S	E	R	R	E	R	
7	R	E		L	E	C	O	N	S		E	D
8	E	S	A		R	A	L	E		P	S	I
9		M		M	E	R	L	E	T	T	E	S
10	E	L	I	M	E	E		T	I	L	D	E
11	N	O	C	E		N	I	E	L	L	E	R
12	T	I	T	U	B	E	R		T	E	S	T

Jeu 49

	1	2	3	4	5	6	7	8	9	10	11	12
1	F	A	N	F	A	R	O	N	N	A	D	E
2	A	B	E	E		A	D	O	U	C	I	R
3	R	A	M	A	S	S	E	R		C	R	I
4	A	T	E	L	E	S		M	A	L	I	N
5	D	I	S		C	I	S	E	L	A	G	E
6	I	S	I	D	O	R	E		A	M	E	
7	Q		S	O	U		I	N	D	E		N
8	U	T		R	E	S	S	U	I		R	I
9	E	R	E	S		E	M	A	N	C	H	E
10		I	T	A	L	I	E	N		L	U	C
11	C	A	R	L	I	N		C	R	I	M	E
12	I	L	E		E	S	S	E	N	C	E	S

Jeu 50

	1	2	3	4	5	6	7	8	9	10	11	12
1	D	O	G	M	A	T	I	S	M	E		L
2	O	S	I	E	R		S	A	U	C	E	E
3	M	A	G	N	E	T	O		E	L	U	S
4	I	T	O	U		E	T	I	R	A	G	E
5	N		T	I	G	L	O	N		I	L	E
6	A	L		S	A	L	P	E	T	R	E	
7	A	T	E	L	I	E	R	S		N	A	
8	A	C	E	R	E	E		M	U	L	E	T
9	V	E	R		T	R	O	E	N	E		T
10	I	R	R	I	T	E	E		A	C	H	E
11	D	E	I	T	E		T	A	M	O	U	L
12	E	R	R	E		M	A	T	I	N	E	E

Jeu 51

	1	2	3	4	5	6	7	8	9	10	11	12
1	C	R	A	V	A	C	H	E	R		E	D
2	A	U	R	E	L	I	E		E	N	T	E
3	F	I	A	S		C	U	L	I	E	R	E
4	E	N	C	U	L	E		A	N	G	E	S
5	T	A		V	E	R	N	I	E	R		S
6	I		R	E	C	O	I	N		E	R	E
7	E	V	A		O	N	C	E	S		I	S
8	R	I	C	I	N		H	U	A	R	D	
9	E	R	I	N		M	E	R	C	I	E	R
10		I	N	D	U	I	T		H	E	L	A
11	P	L	E	I	N	E		M	E	U	L	E
12	T	E	R	C	E		P	E	T	R	E	L

Jeu 52

	1	2	3	4	5	6	7	8	9	10	11	12
1	C	O	U	R	A	G	E		A	R	E	C
2	A	P	R	E	S		C	R	O	I	R	E
3	N	E	E		E	T	O	U	F	F	E	R
4	A	R	T	E	S	I	E	N		L	I	A
5	L	A	R	D		N	U	E	M	E	N	T
6		S	E	R	I	E	R		A	R	T	
7	M		S	E	N	T	E	U	R		E	L
8	A	H		D	E	T	E	L	E	R		I
9	D	E	C	O	D	E		E	C	A	L	E
10	A	L	U	N	I		I	M	A	G	E	R
11	M	I	R		T	A	P	A	G	E	U	R
12	E	X	A	G	E	R	E		E	R	R	E

Jeu 53

	1	2	3	4	5	6	7	8	9	10	11	12
1	E	G	U	E	U	L	E	N	T		C	N
2	M	E	S	U	R	E	R		A	E	R	E
3	B	L	E		E	V	E	I	L	L	E	E
4	R	O	E	S	T	I		R	E	F	U	S
5	E	S	S	O	R		S	I	R	E	S	
6	V	E		M	E	A	T	S		S	E	N
7	E		T	A	S	S	E	E	S		E	A
8	R	E	A	L		P	L	E	B	E		T
9		C	H	I	M	I	E		I	L	O	T
10	P	L	I	E	U	R		E	R	I	G	E
11	R	A	T		G	E	O	M	E	T	R	E
12	O	T	I	T	E		R	U	S	E	E	S

Jeu 54

	1	2	3	4	5	6	7	8	9	10	11	12
1	C	A	P	H	A	R	N	A	U	M		P
2	O	R	E	E	S		I	G	N	A	M	E
3	N	A	P	P	A	G	E		I	R	E	S
4	S	I	S		N	A	R	C	E	I	N	E
5	T	R	I	B	A	L		O	M	E	T	
6	I	E	N	A		A	P	N	E	E		C
7	E		E	B	E	N	E	S		S	P	A
8	A	R		I	N	T	R	U	S		O	R
9	T	U	A	N	T		C	L	A	P	I	R
10	I	M	M	E	R	G	E		B	E	L	A
11	O	B	I		E	P	E	P	I	N	E	R
12	N	A	S	S	E	S		A	N	D	R	E

Solutions

Jeu 55
	1	2	3	4	5	6	7	8	9	10	11	12
1	I	N	T	E	R	E	T	S			P	L	I
2	R	E	E	V	A	L	U	A	T	I	O	N
3	R	U	R	A	L		E	V	I	E	R	S
4	E	V	A	S	E	R		O	N	D	E	E
5	G	E		A	N	U	R	I	E		T	R
6	U	S	E		T	R	I	E		E	T	E
7	L		P	L	I	A	T		A	C	E	
8	A	R	I	A		L	A	B	E	L		G
9	R	E	T	I	R	E		E	T	U	V	E
10	I	C	O	N	E		M	A	I	S	O	N
11	T	I	G	E		B	A	T	T	E	U	R
12	E	T	E	R	N	E	L		E	R	S	E

Jeu 56
	1	2	3	4	5	6	7	8	9	10	11	12
1	F	A	I	B	L	I	R		T	R	A	C
2	R	E	N	A	R	D	E	A	U		L	A
3	A	R	D	U		O	R	T	E	I	L	S
4	C	A	U	D	A	L		T	U	B	E	S
5	A	G	I		C	E	L	E	R	I		A
6	S	E	R	A	C		U	R		S	E	N
7	S		E	B	A	T	T	R	E		C	T
8	E	H		O	B	S	T	I	N	E	R	
9	R	E	C	U	L	E	E		C	L	A	M
10		T	O	L	E	T		B	R	I	S	E
11	C	R	U	E		S	O	L	E	R	E	T
12	V	E	R	R	I	E	R	E		E	R	S

Jeu 57
	1	2	3	4	5	6	7	8	9	10	11	12
1	P	A	P	O	T	E	R		M	E	N	T
2	O	R	E	M	U	S		B	O	L	E	E
3	I	G	U	E		A	C	A	D	I	E	N
4	V	E	R	G	E		O	R	E	E		A
5	R	N		A	T	O	N	A	L		P	B
6	I	T	E		E	R	G		E	G	A	L
7	E		F	R	U	G	A	L		I	R	E
8	R	A	F	A	L	E		O	O	R	T	
9	E	V	A	D	E		O	U	B	L	I	E
10		A	C	E		E	P	I	E		T	R
11	A	L	E	A	S		E	S	S	A	I	S
12	C	E	R	U	M	E	N		E	L	F	E

Jeu 58
	1	2	3	4	5	6	7	8	9	10	11	12
1	P	E	R	S	E	C	U	T	E	R		D
2	E	V	A	C	U	E	R		P	E	R	E
3	T	E	N	U		P	A	C	A	G	E	R
4	O	N	G	L	E		N	A	R	I	N	E
5	I	T		L	I	A	I	S		R	E	E
6	R	A	B		D	I	E	S	E		E	L
7	E		O	U	E	D		E	T	E		
8		T	E	T	R	A	S		A	S	P	I
9	S	A	R	I		I	O	N	I	S	E	R
10	M	U	S	L	I		B	A	N	A	L	E
11	O	P		E	M	E	R	I		Y	E	N
12	G	E	N	S		T	E	S	S	E	R	E

Jeu 59
	1	2	3	4	5	6	7	8	9	10	11	12
1	I	N	C	O	N	C	E	V	A	B	L	E
2	N	U	E	M	E	N	T		N	U	I	T
3	T	E	T	I	N		A	L	I	E	N	E
4	E	R		S	E	R	B	I	E		I	S
5	R		B	E		A	L	E	R	T	E	
6	V	A	R	S	O	V	I	E		E	R	S
7	E	L	I		V	I	E		A	L		T
8	R	A	D	I	E	E		A	M	E	N	E
9	S	N	O	B		R	E	L	A	X	E	R
10	I	G	N	E	S		C	O	N		R	E
11	O	U		R	A	C	H	I	D	I	E	N
12	N	I	G	E	L	L	E		E	M	E	T

Jeu 60
	1	2	3	4	5	6	7	8	9	10	11	12
1	A	N	N	O	N	C	I	A	T	E	U	R
2	P	I	E		E	O	L	I	E	N	N	E
3	P	E	T	R	O	L	E		L	U	E	S
4	A	C	T	E		L	O	B	E	R		T
5	R	E	E		M	A	N	A		E	S	A
6	E	S		Z	I	G		C	A	S	E	
7	I		P	E	S	E	E		D	I	C	O
8	L	E	R	N	E		B	I	V	E	A	U
9	L	U	I		E	T	E	T	E		T	V
10	E	T	N	A		E	N	E	R	V	E	E
11	R	E	C	R	I	R	E		S	A	U	R
12		S	E	P	I	A		H	E	U	R	T

Jeu 61
	1	2	3	4	5	6	7	8	9	10	11	12
1	I	N	T	E	R	R	U	P	T	I	O	N
2	M	O	I	S	I	E		P	A	N	D	A
3	P	I	R	A	T	E	R		B	E	E	R
4	O	S	A		U	L	U	L	E	R		I
5	R	E	S	T	E		B	A	S	T	O	N
6	T		S	U	L	T	A	N		I	R	E
7	E	G	E	E		A	N	C	I	E	N	
8	R	U		R	E	V	E	E	S		A	M
9		E	C	I	M	E	E		T	A	I	E
10	I	R	R	E	E	L		C	H	I	E	N
11	L	E	A		S	E	D	I	M	E	N	T
12	E	T	U	D	E		R	O	E	S	T	I

Jeu 62
	1	2	3	4	5	6	7	8	9	10	11	12
1	P	I	N	G	R	E	R	I	E		I	O
2	U	R	A	N	A	T	E		C	E	N	S
3	B	R	I	O		I	M	M	O	N	D	E
4	L	I	S	S	E	R		A	U	C	U	N
5	I	T		E	R	E	I	N	T	E		T
6	C	E	S		R	E	M	U	E	N	T	
7	I	R	O	N	E		P	E	R	S	A	N
8	S		C	O	R	A	I	L		E	V	E
9	T	A	R	T	A	R	E		A	M	E	R
10	E	P	A	R		I	S	O	M	E	R	E
11		E	T	E	T	E		H	E	N	N	I
12	A	X	E		I	N	F	E	S	T	E	S

Jeu 63
	1	2	3	4	5	6	7	8	9	10	11	12
1	F	O	R	T	U	I	T	E	M	E	N	T
2	E	P	A	R		R	E	N	O	V	E	R
3	R	E	S	I	D	A	N	T		E	N	A
4	B	R		M	E	N	D	E	L	I	E	N
5	L	A	V	A	L		E	T	A	L		C
6	A	I	R		I	G	U	E	S		O	H
7	N		A	E	R	E	R		C	A	G	E
8	T	O	I	S	E	R		B	A	R	R	E
9		E	T	E	S		A	M	A	R	R	E
10	R	E	S	O	N	N	E	R		O	S	T
11	I	N		R	E	T	R	O	U	S	S	E
12	E	T	R	E	S		E	N	T	E	E	S

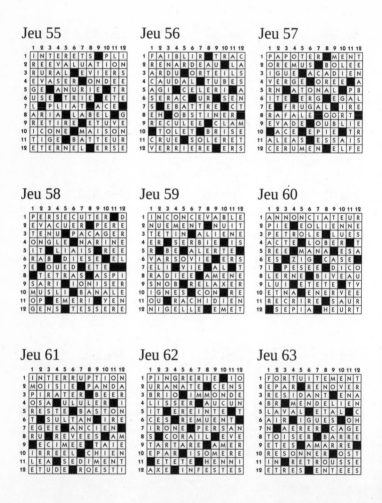

Solutions

Jeu 64

	1	2	3	4	5	6	7	8	9	10	11	12
1	D	E	P	R	E	C	I	A	T	I	O	N
2	E	P	O	U	V	A	N	T	A	B	L	E
3	B	I	S	S	E	R		O	R	N	E	R
4	A	S	A		N	I	Q	U	E		I	F
5	L		D	A	T	E	U	R		A	N	S
6	L	I	A	N	E		I	S	A	I	E	
7	A	N		C	R	U	E		U	R	S	S
8	G	E	A	I		S	T	E	R	E		C
9	E	R	R	E	R	A		M	O	L	L	E
10		M	E	N	A	G	E		C	L	A	N
11	S	E	N		P	E	U	C	H	E	R	E
12	A	S	A	N	A		S	A	S	S	E	S

Jeu 65

	1	2	3	4	5	6	7	8	9	10	11	12
1	S	O	L	D	E	R		S	O	C	L	E
2	U	S	U	E	L		D	E	C	L	I	N
3	R	E	N	F	I	L	E	R		A	B	C
4	V	I	D	E		E	M	A	C	I	E	R
5	E	L	I	N	G	U	E		H	E	R	A
6	I	L		D	O	R	U	R	E		I	S
7	L	E	P	R	E		R	E	N	I	A	S
8	L		R	E	M	M	E	N	E	R		E
9	A	S	O		O	O	R	T		I	O	
10	N	U	M	E	N	T		E	U	S	S	E
11	C	A	I	N		T	E	R	R	E	A	U
12	E	S	S	A	Y	E	R		E	R	I	E

Jeu 66

	1	2	3	4	5	6	7	8	9	10	11	12
1	C	A	N	T	O	N	N	I	E	R		G
2	O	V	A	I	R	E		D	R	A	M	E
3	N	O	I	R		F	R	A	I	S	E	R
4	V	I	V	A	B	L	E		C	E	D	E
5	E	R	E		L	E	N	T		E	U	E
6	R		T	R	E	S	O	R	S		S	S
7	G	R	E	E	S		I	O	U	L	E	
8	E	H		G	I	V	R	U	R	E		P
9	R	E	T	A	T	E		V	E	R	G	E
10		S	I	L	E	N	C	E		O	R	S
11	C	U	L	E		A	L	E	R	T	E	E
12	A	S	T	R	A	L	E		U	S	E	E

Jeu 67

	1	2	3	4	5	6	7	8	9	10	11	12
1	R	A	C	C	O	M	M	O	D	A	G	E
2	E	R	R	O	N	E	E	S		B	I	S
3	L	E	U	R		R	A	I	S	O	N	S
4	I	N	S	P	E	C	T	E	U	R		I
5	E	A		U	P	I		R	I	D	E	E
6		C	A	S	I	E	R		T	E	T	U
7	P	E	P		A	R	I	D	E		E	X
8	R	E	P	L	I		M	E	S	O	N	
9	I		O	A	S	I	E	N		R	D	A
10	E	M	I	R		G	R	I	P	P	A	L
11	R	O	N	D	I	N		E	R	I	G	E
12	E	U	T		N	E	U	R	O	N	E	S

Jeu 68

	1	2	3	4	5	6	7	8	9	10	11	12
1	R	E	T	E	I	N	D	R	E		D	U
2	E	R	I	G	E		E	N	T	I	E	R
3	C	O	R	O	N	E	R		A	N	S	E
4	O	T	E		A	N	E	A	N	T	I	E
5	M	I	E	L		V	E	N	G	E	R	
6	P	S		A	V	I	L	I		G	E	O
7	E	M	A	C	I	E		E	T	R	E	S
8	N	E	T	T	E		T	R	I	E		E
9	S		R	A	L	L	I	E	R		R	I
10	E	T	O	I	L	E	R		A	C	U	L
11	A	C	R	E	S		I	D	E	A	L	
12	E	G	E	E		A	I	L	E	T	T	E

Jeu 69

	1	2	3	4	5	6	7	8	9	10	11	12
1	C	A	N	D	I	D	A	T		M	A	S
2	H	E	U	R	E	U	S	E	M	E	N	T
3	A	R	I	E	N		S	E	A	N	T	E
4	T	O	R	S	A	D	E		R	E	E	R
5	A	G	E	S		O	R	G	I	E		E
6	I	L		E	T	U	V	E	E		P	O
7	N	I	D		R	A	I	N	U	R	E	
8		S	E	T	O	N		E	R	A	T	O
9	E	S	S	U	Y	E	E	S		S	I	R
10	R	E	I	N	E		T	E	S	S	O	N
11	S	U	R	I	N	E	R		A	I	L	E
12	E	R	E	S		L	E	U	R	R	E	R

Jeu 70

	1	2	3	4	5	6	7	8	9	10	11	12
1	C	E	R	V	E	L	A	S		S	A	E
2	A	N	O	R	M	A	L	E	M	E	N	T
3	P	E	S	A		B	E	N	A	R	D	E
4	T	R	I	C	H	E		T	R	I	E	S
5	A	V	E		U	L	T	I	M	E	S	
6	T	E	R	C	E		A	N	I	S		
7	E	R		R	E	F	L	E	T		C	U
8	U		R	A	S	E	E		E	R	O	S
9	R	E	I	N		I	N	T	R	A	N	T
10		O	C	T	A	N	T	E		M	G	R
11	C	L	I	E	N	T		C	A	P	R	E
12	G	E	N	R	E		S	K	I	E	U	R

Jeu 71

	1	2	3	4	5	6	7	8	9	10	11	12
1	B	E	C	Q	U	E	R	E	L		G	D
2	O	C	E	A	N		E	T	I	R	E	E
3	N	A	N	T	I	S	S	E	M	E	N	T
4	I	L	S		R	A	S	S	A	S	I	E
5	M	E	U	L	A	G	E		C	I	E	L
6	E	R	R	E		E	M	U	E	S		E
7	N		E	V	A	S	E	R		T	E	R
8	T	A		A	I	S		A	V	E	C	
9		S	U	G	G	E	R	E	E		R	E
10	O	P	T	E	R		E	T	R	O	I	T
11	H	I	A		I	N	N	E	R	V	E	R
12	E	C	H	A	R	D	E		A	E	R	E

Jeu 72

	1	2	3	4	5	6	7	8	9	10	11	12
1	T	A	L	C		G	O	U	A	C	H	E
2	O	V	A	I	R	E	S		G	O	A	L
3	R	E	P	A	I	R	E	R		U	R	I
4	C	R	I		D	E	R	A	C	I	N	E
5	H	E	N	N	E		A	B	A	C	A	
6	O	R		A	L	B	I	O	N		I	R
7	N		O	S	L	O		T	A	R	S	E
8		C	L	I	E	N	T	E	L	E		C
9	T	A	E	L		D	E	R	I	D	E	R
10	E	V	A	L	U	E	E		S	I	D	I
11	T	E	T	E	R		S	I	E	G	E	R
12	U	S	E	R	E	Z		F	R	E	N	E

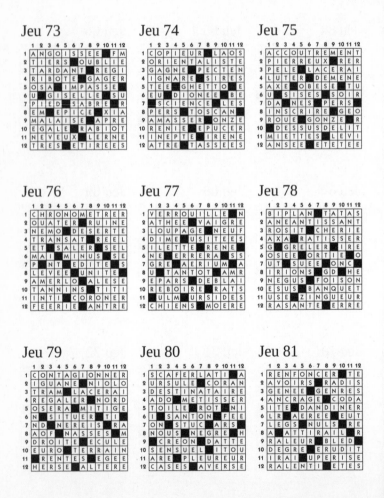

Jeu 73

	1	2	3	4	5	6	7	8	9	10	11	12
1	A	N	G	O	I	S	S	E	E		F	M
2	T	I	E	R	S		O	U	B	L	I	E
3	T	A	R	D	A	N	T		R	E	G	I
4	R	I	B	O	T	E		G	A	G	E	R
5	O	S	A		I	M	P	A	S	S	E	
6	U		G	I	S	E	L	L	E		S	U
7	P	I	E	D		S	A	B	R	E		R
8	E	M		E	P	I	C	E		X	I	A
9	M	A	L	A	I	S	E		A	P	R	E
10	E	G	A	L	E		R	A	B	I	O	T
11	N	E	V	E	U	X		L	E	R	N	E
12	T	R	E	S		E	T	I	R	E	E	S

Jeu 74

	1	2	3	4	5	6	7	8	9	10	11	12
1	C	O	P	I	E	U	R		L	A	O	S
2	O	R	I	E	N	T	A	L	I	S	T	E
3	G	A	G	N	E		P	E	C	T	E	N
4	I	G	N	A	R	E		S	I	R	E	S
5	T	E	E		G	H	E	T	T	O		E
6	E	U		D	I	O	N	E	E		B	E
7		S	C	I	E	N	C	E		L	E	S
8	P	E	R	S		T	O	S	C	A	N	
9	A	M	A	S	S	E	R		O	N	Z	E
10	R	E	N	I	E		E	P	U	C	E	R
11	I	N	E	P	T	E		I	R	E	N	E
12	A	T	R	E		T	A	S	S	E	E	S

Jeu 75

	1	2	3	4	5	6	7	8	9	10	11	12
1	A	C	C	O	U	T	R	E	M	E	N	T
2	P	I	E	R	R	E	U	X		R	E	R
3	P	E	L	E		L	A	C	E	R	A	I
4	L	U	T	E	R		D	E	M	E	N	E
5	A	X	E		O	B	E	S	E		T	U
6	U		S	I	S	E	S		S	O	I	R
7	D	A		N	E	S		P	E	R	S	
8	I	N	S	C	R	I	R	E		G	E	O
9	R	O	U	E		G	O	N	Z	E		R
10		D	E	S	S	U	S	D	E	L	I	T
11	M	I	E	T	T	E	S		L	E	V	I
12	A	N	S	E	E		E	T	E	T	E	E

Jeu 76

	1	2	3	4	5	6	7	8	9	10	11	12
1	C	H	R	O	N	O	M	E	T	R	E	R
2	O	U	A	T	E	R		R	U	I	N	E
3	N	E	M	O		D	E	S	E	R	T	E
4	T	R	A	N	S	A	T		R	E	E	L
5	E	T		S	A	L	E	R		S	E	L
6	M	A	I		M	I	N	U	S		S	E
7	P		N	T		E	D	I	T	E		S
8	L	E	V	E	E		U	N	I	T	E	
9	A	M	E	R	L	O		A	L	E	S	E
10	T	A	N	N	I	N	S		T	I	T	I
11	I	N	T	I		C	O	R	O	N	E	R
12	F	E	E	R	I	E		A	N	T	R	E

Jeu 77

	1	2	3	4	5	6	7	8	9	10	11	12
1	V	E	R	R	O	U	I	L	L	E		N
2	A	T	H	E	E		V	A	I	G	R	E
3	L	O	U	P	A	G	E		N	E	U	F
4	D	I	M	E		U	S	I	T	E	E	S
5	I	L	E	T	T	E		R	E	N	E	
6	N	E		E	R	R	E	R	A		S	S
7	G	R	E		A	E	R	I	U	M		A
8	U		T	A	N	T	O	T		A	M	R
9	E	P	A	R	S		D	E	B	L	A	I
10	R	E	B	O	I	R	E		R	A	T	S
11	U	L	M		U	R	S	I	D	E	S	
12	C	H	I	E	N	S		M	O	E	R	E

Jeu 78

	1	2	3	4	5	6	7	8	9	10	11	12
1	B	I	P	L	A	N		T	A	T	A	S
2	A	N	E	A	N	T	I	S	S	A	N	T
3	R	O	S	I	T		C	H	E	R	I	E
4	A	X	A		R	A	T	I	S	S	E	R
5	G		G	R	E	L	E	R		I	R	E
6	O	S	E	E		O	R	T	I	E		O
7	U	T		S	U	E	E		O	N	C	
8	I	R	I	O	N	S		G	D		H	E
9	N	E	G	U	S		F	O	I	S	O	N
10	E	S	U	S		B	A	N	Q	U	E	T
11	U	S	E		Z	I	N	G	U	E	U	R
12	R	A	S	A	N	T	E		E	R	R	E

Jeu 79

	1	2	3	4	5	6	7	8	9	10	11	12
1	C	O	N	T	A	G	I	O	N	N	E	R
2	I	G	U	A	N	E		N	I	O	L	O
3	T	R	A	M		L	A	C	E	R	A	I
4	R	E	G	A	L	E	R		N	O	R	D
5	O	S	E	R	A		M	I	T	I	G	E
6	N		S	I	T	U	E	R		T	I	
7	N	D		N	E	R	E	I	S		R	A
8	A	O	F		N	A	S	S	E	S		M
9	D	R	O	I	T	E		E	C	U	L	E
10	E	U	R	O		T	E	R	R	A	I	N
11		R	E	N	T	E	S		E	G	E	E
12	H	E	R	S	E		A	L	T	E	R	E

Jeu 80

	1	2	3	4	5	6	7	8	9	10	11	12
1	S	C	A	F	E	R	L	A	T	I		A
2	U	R	S	U	L	E		C	O	R	A	N
3	D	E	S	T	I	N	A	T	A	I	R	E
4	A	D	O		M	E	T	I	S	S	E	R
5	T	O	I	L	E		R	O	T		N	I
6	I		S	A	N	T	O	N		F	E	E
7	O	N		S	T	U	C		A	R	S	
8	N	O	U	S		N	E	G	R	E		H
9		C	R	E	O	N		D	A	T	T	E
10	S	E	N	S	U	E	L		I	T	O	U
11	A	R	E		P	L	E	U	R	E	U	R
12	C	A	S	E	S		A	V	E	R	S	E

Jeu 81

	1	2	3	4	5	6	7	8	9	10	11	12
1	R	E	N	F	O	N	C	E	R		T	E
2	A	V	O	I	R	S		R	A	D	I	S
3	G	E	N	E	E		G	E	N	R	E	S
4	A	N	C	R	A	G	E		C	O	D	A
5	I	T	E		D	A	N	D	I	N	E	R
6	L	R		A	E	R	E	E		E	U	T
7	L	E	G	S		N	U	L	S		R	E
8	A		A	T	T	I	R	A	I	L		R
9	R	A	L	E	U	R		B	L	E	D	
10	D	E	G	R	E		E	R	U	D	I	T
11	I	R	A	I		U	P	E	R	I	S	E
12	R	A	L	E	N	T	I		E	T	E	S

Solutions

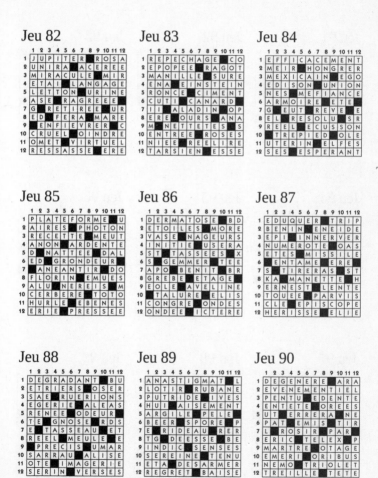

Jeu 82

```
   1  2  3  4  5  6  7  8  9 10 11 12
1  J  U  P  I  T  E  R  ■  R  O  S  A
2  U  N  I  R  A  ■  A  C  E  R  E  E
3  M  I  R  A  C  U  L  E  ■  M  I  R
4  E  T  A  I  ■  L  A  N  G  A  G  E
5  L  E  T  T  O  N  ■  U  R  I  N  E
6  A  S  E  ■  R  A  G  R  E  E  E  ■
7  G  ■  R  E  T  I  R  E  E  ■  U  R
8  E  D  ■  F  E  R  A  ■  M  A  R  E
9  ■  E  N  F  I  E  V  R  E  R  ■  C
10 C  R  U  E  L  ■  O  I  N  D  R  E
11 O  M  E  T  ■  V  I  R  T  U  E  L
12 R  E  S  S  A  S  S  E  ■  E  R  E
```

Jeu 83

```
   1  2  3  4  5  6  7  8  9 10 11 12
1  R  E  P  E  C  H  A  G  E  ■  C  O
2  E  P  O  P  E  E  ■  R  A  G  O  T
3  M  A  N  I  L  L  E  ■  S  U  R  E
4  E  N  A  ■  E  I  N  S  T  E  I  N
5  R  O  N  C  E  ■  C  I  M  E  N  T
6  C  U  T  I  ■  C  A  N  A  R  D  ■
7  I  I  ■  A  L  A  D  I  N  ■  O  P
8  E  R  E  ■  O  U  R  S  ■  A  N  A
9  M  ■  N  E  T  T  E  T  E  S  ■  S
10 E  N  T  R  E  E  ■  R  O  S  E  S
11 N  I  E  E  ■  R  E  E  L  I  R  E
12 T  A  R  S  I  E  N  ■  E  S  S  E
```

Jeu 84

```
   1  2  3  4  5  6  7  8  9 10 11 12
1  E  F  F  I  C  A  C  E  M  E  N  T
2  M  E  I  R  ■  H  O  N  G  R  E  R
3  M  E  X  I  C  A  I  N  ■  E  G  O
4  E  D  I  S  O  N  ■  U  N  I  O  N
5  N  E  S  ■  M  E  F  I  A  N  C  E
6  A  R  M  O  I  R  E  ■  E  T  E  ■
7  G  ■  E  U  T  ■  R  E  V  E  ■  E
8  E  L  ■  R  E  S  O  L  U  ■  S  R
9  R  E  E  L  ■  E  C  U  S  S  O  N
10 ■  T  R  E  P  I  E  D  ■  O  L  E
11 U  T  E  R  I  N  ■  E  L  F  E  S
12 S  E  S  ■  E  S  P  E  R  A  N  T
```

Jeu 85

```
   1  2  3  4  5  6  7  8  9 10 11 12
1  P  L  A  T  E  F  O  R  M  E  ■  U
2  A  I  R  E  S  ■  P  H  O  T  O  N
3  R  E  C  E  T  T  E  ■  M  E  U  T
4  A  N  O  N  ■  A  R  D  E  N  T  E
5  D  ■  N  A  T  T  E  E  ■  D  A  L
6  E  D  ■  G  R  O  N  D  E  U  R  ■
7  ■  A  N  E  A  N  T  I  R  ■  D  O
8  F  L  O  R  I  N  ■  E  M  U  E  S
9  A  L  U  ■  N  E  R  E  I  S  ■  M
10 C  E  R  B  E  R  E  ■  T  O  T  O
11 H  U  R  L  E  ■  E  B  E  N  E  S
12 E  R  I  E  ■  P  R  E  S  S  E  E
```

Jeu 86

```
   1  2  3  4  5  6  7  8  9 10 11 12
1  D  E  R  M  A  T  O  S  E  ■  B  D
2  E  T  O  I  L  E  S  ■  M  O  R  E
3  V  A  S  E  ■  N  A  G  E  U  R  S
4  I  N  I  T  I  E  ■  U  S  E  R  A
5  S  T  ■  T  A  S  S  E  E  S  ■  X
6  S  ■  G  E  M  M  E  R  ■  T  E  E
7  A  P  O  ■  B  E  N  I  T  ■  B  R
8  G  R  E  B  E  ■  E  T  A  G  E  ■
9  E  O  L  E  ■  A  V  E  L  I  N  E
10 ■  T  A  L  U  R  E  ■  E  L  I  S
11 C  O  N  G  R  E  ■  O  N  D  E  S
12 O  N  D  E  E  ■  I  C  T  E  R  E
```

Jeu 87

```
   1  2  3  4  5  6  7  8  9 10 11 12
1  E  D  U  Q  U  E  R  ■  T  R  I  P
2  B  E  N  I  N  ■  E  N  E  I  D  E
3  E  P  I  ■  I  N  N  E  R  V  E  R
4  N  U  M  E  R  O  T  E  ■  O  A  S
5  E  T  E  S  ■  M  I  S  S  I  L  E
6  ■  E  N  T  A  M  E  ■  E  R  E  ■
7  S  ■  T  I  R  E  R  A  S  ■  S  T
8  K  A  ■  M  A  N  E  T  T  E  ■  H
9  E  R  N  E  S  T  ■  L  E  N  T  E
10 T  O  U  E  E  ■  P  A  R  V  I  S
11 C  L  E  ■  E  P  I  S  C  O  P  E
12 H  E  R  I  S  S  E  ■  E  L  I  E
```

Jeu 88

```
   1  2  3  4  5  6  7  8  9 10 11 12
1  D  E  G  R  A  D  A  N  T  ■  B  U
2  E  T  R  I  E  R  S  ■  O  S  E  R
3  S  A  E  ■  R  U  E  R  I  O  N  S
4  E  G  E  R  I  E  ■  A  L  E  A  S
5  R  E  N  E  E  ■  O  D  E  U  R  ■
6  T  E  ■  G  N  O  S  E  ■  R  D  S
7  E  ■  T  A  S  S  E  A  U  ■  E  T
8  R  E  E  L  ■  M  E  U  L  E  ■  E
9  ■  P  R  E  C  I  S  ■  U  M  A  R
10 S  A  R  R  A  U  ■  A  L  I  S  E
11 O  T  E  ■  I  M  A  G  E  R  I  E
12 S  E  R  I  N  ■  V  E  R  S  E  S
```

Jeu 89

```
   1  2  3  4  5  6  7  8  9 10 11 12
1  A  N  A  S  T  I  G  M  A  T  ■  L
2  L  O  T  I  R  ■  R  U  B  A  N  E
3  P  U  T  R  I  D  E  ■  I  V  E  S
4  H  U  I  ■  A  I  S  E  M  E  N  T
5  A  R  G  I  L  E  ■  P  E  L  E  ■
6  B  E  E  R  ■  S  P  O  R  E  ■  P
7  E  ■  R  I  D  E  A  U  ■  R  E  R
8  T  G  ■  D  E  E  S  S  E  ■  B  E
9  I  N  D  I  C  ■  S  E  N  S  E  S
10 S  E  R  E  I  N  E  ■  T  E  N  U
11 E  T  A  ■  D  E  S  A  R  M  E  R
12 R  E  G  R  E  T  ■  B  A  I  S  E
```

Jeu 90

```
   1  2  3  4  5  6  7  8  9 10 11 12
1  D  E  G  E  N  E  R  E  ■  A  R  A
2  E  V  E  N  E  M  E  N  T  I  E  L
3  P  E  N  T  U  ■  E  D  E  N  T  E
4  E  N  T  E  T  E  ■  O  R  E  E  S
5  U  T  ■  E  R  R  E  R  A  ■  N  E
6  P  A  T  ■  E  M  I  S  ■  T  I  R
7  L  ■  R  O  S  I  R  ■  P  A  R  ■
8  E  R  I  C  ■  T  E  L  E  X  ■  P
9  M  A  R  T  R  E  ■  O  T  A  G  E
10 E  M  E  R  I  ■  O  R  I  B  U  S
11 N  E  M  O  ■  T  R  I  O  L  E  T
12 T  R  E  I  L  L  E  ■  T  E  T  E
```

Solutions

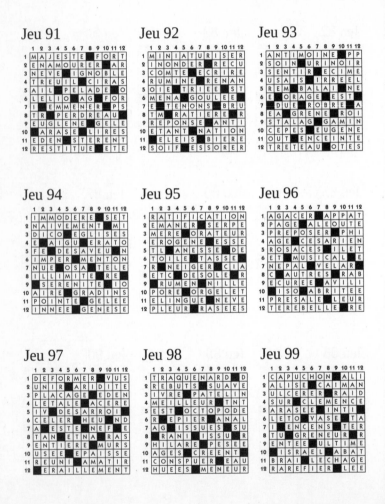

Jeu 91

1	2	3	4	5	6	7	8	9	10	11	12

1. MAJESTE FORT
2. ENAMOURER AR
3. NEVE IGNOBLE
4. TREUIL CIRAS
5. AIL PELADE O
6. LELIO AG FOR
7. I EMMENER PS
8. TR PERDREAU
9. EUGLENE GELE
10. ARASE LIRES
11. EDEN STERENT
12. RESTITUE ETE

Jeu 92

1. MINIATURISER
2. INONDER RECU
3. COMTE ECRIRE
4. RUMINE RENAN
5. OIE TRIEE ST
6. MENA GOULEE
7. E TENONS BRU
8. TM RATIERE R
9. REPONSE ANTI
10. ETANT NATION
11. ELEIS BIERE
12. SOIF ESSORER

Jeu 93

1. ANTIMOINE PP
2. SOIN URINOIR
3. SENTIR ECIME
4. USAIS IRREEL
5. REM BALAI NE
6. E ORAGE EST
7. DUE ROBRE A
8. EA GRENE ROI
9. STALAG GAMIN
10. CEPES EUGENE
11. OUT ENCEINTE
12. TRETEAU OTES

Jeu 94

1. IMMODERE SET
2. NAIVEMENT MI
3. DICO EGLISES
4. E AIGU ERATO
5. FE DESAVEU N
6. IMPER MENTON
7. NUE OSA TELE
8. ILLIMITE RE
9. SERENITE IO
10. AIRE GRADINS
11. POINTE GELEE
12. INNEE GENESE

Jeu 95

1. RATIFICATION
2. EMANER SERPE
3. MERE ORATEUR
4. EROGENE ESSE
5. TL ANESSE DE
6. TOILE TASSE
7. R NEIGER CIA
8. ETC DESOLE R
9. RUMEN NILLE
10. PORE ORGELET
11. ELINGUE NEVE
12. PLEUR RASEES

Jeu 96

1. AGACER APPAT
2. PAGE ALEOUTE
3. PREPOSER PHI
4. AGE CESARIEN
5. ROSACES ILET
6. ET MUSICAL E
7. NEPAL VELAR
8. C AUTRES RAB
9. ECUREE AVILI
10. ISO ABRITEE
11. PRESALE LEUR
12. TEREBELLE RE

Jeu 97

1. DEFORMER VUS
2. UNIR ARIDITE
3. PLACAGE EDEN
4. LETALE ACERE
5. IV DESARROI
6. CELER HEU ND
7. A ESTE NEF E
8. TAN ETNA RAS
9. ENTIERE MURS
10. USEE EPAISSE
11. REUNI AMATIR
12. ERAILLEMENT

Jeu 98

1. TRAQUENARD D
2. REBUTS SUAVE
3. IVRE PATELIN
4. MEILLEUR TNT
5. EST OCTOPODE
6. R EPIER ANAL
7. AG ISSUES SU
8. RANI ISSU R
9. HILARE PESEE
10. AGES CREENT
11. CONSPUER EAU
12. HUEES MENEUR

Jeu 99

1. CAPUCHON ALI
2. ALISE CAIMAN
3. ULCERER RAID
4. SUR CLEMENCE
5. ARASEE INTI
6. LETO VASE TA
7. I ENCENS TER
8. TU GRENEUR R
9. ENTEE ULTIME
10. ISRAEL ABAT
11. BRAI LECHAGE
12. RAREFIER LEE

Solutions

Jeu 100

	1	2	3	4	5	6	7	8	9	10	11	12
1	D	E	S	I	N	C	R	U	S	T	E	R
2	E	P	I	S	S	A	■	L	A	R	M	E
3	S	A	N	A	■	C	O	M	B	I	E	N
4	A	N	O	R	M	A	L	■	O	E	T	A
5	S	O	N	D	E	■	E	S	T	E	■	L
6	T	U	■	S	A	G	A	I	E	■	D	E
7	R	I	E	■	N	I	T	R	U	R	E	■
8	E	S	C	A	D	R	E	■	R	A	L	A
9	■	S	U	C	R	A	S	E	■	C	I	L
10	V	A	R	I	E	S	■	S	A	L	E	E
11	U	N	I	E	■	O	B	T	I	E	N	S
12	S	T	E	R	I	L	E	■	T	E	T	E

Jeu 101

	1	2	3	4	5	6	7	8	9	10	11	12
1	I	S	O	L	A	T	I	O	N	■	I	V
2	N	A	S	A	■	E	T	R	A	N	G	E
3	C	U	L	I	E	R	E	■	G	A	U	R
4	O	T	O	N	S	■	M	A	U	R	E	S
5	N	O	■	E	P	I	S	S	E	R	■	E
6	V	I	T	R	E	R	■	P	R	E	V	U
7	E	R	E	■	C	I	T	E	E	■	E	S
8	N	■	T	R	E	S	O	R	■	G	R	E
9	A	R	I	A	■	E	P	I	A	I	S	■
10	N	O	E	M	I	E	■	T	I	T	A	N
11	C	U	R	E	R	■	V	E	L	A	N	I
12	E	X	E	R	E	S	E	■	E	N	T	A

Jeu 102

	1	2	3	4	5	6	7	8	9	10	11	12
1	E	P	E	I	C	H	E	■	M	E	A	T
2	M	I	T	R	A	I	L	L	E	T	T	E
3	P	L	E	I	N	E	■	A	R	E	T	E
4	R	O	S	S	E	■	C	E	L	T	E	S
5	E	R	■	E	T	E	R	N	U	E	R	■
6	S	I	S	■	O	V	I	N	■	E	R	E
7	S	■	P	E	N	A	T	E	S	■	E	M
8	E	M	E	T	■	D	E	C	A	N	■	M
9	M	A	C	U	L	E	R	■	B	U	S	E
10	E	G	I	D	E	■	E	O	L	I	E	N
11	N	I	A	I	S	E	■	S	O	T	T	E
12	T	E	L	E	■	T	R	A	N	S	I	R

Jeu 103

	1	2	3	4	5	6	7	8	9	10	11	12
1	S	E	C	T	I	O	N	N	E	R	■	R
2	A	B	O	U	T	I	■	E	X	I	G	E
3	N	E	N	E	■	N	A	T	T	E	E	S
4	I	N	F	E	C	T	E	■	A	U	N	E
5	T	E	L	■	H	E	R	I	S	S	E	E
6	A	S	I	L	E	■	A	B	E	E	■	V
7	I	■	T	A	R	A	G	E	■	S	T	E
8	R	I	■	M	E	M	E	R	E	■	R	E
9	E	M	P	E	S	E	■	I	N	N	E	■
10	■	P	A	L	■	R	H	E	T	E	U	R
11	N	I	O	L	O	■	A	N	E	M	I	E
12	S	E	N	E	C	O	N	■	E	O	L	E

Jeu 104

	1	2	3	4	5	6	7	8	9	10	11	12
1	P	R	O	P	H	E	T	E	■	S	A	C
2	H	A	M	E	A	U	■	S	P	A	T	H
3	O	T	E	R	■	E	S	C	O	R	T	E
4	T	E	T	R	A	■	C	A	S	I	E	R
5	O	R	■	E	S	P	E	R	E	■	R	I
6	G	A	P	■	S	A	L	P	E	T	R	E
7	R	■	P	E	U	P	L	E	■	A	I	■
8	A	C	■	C	R	E	E	■	U	R	S	S
9	P	R	O	I	E	■	R	E	P	O	S	E
10	H	E	R	M	E	S	■	R	A	T	E	R
11	I	O	D	E	■	P	A	S	S	E	U	R
12	E	N	O	R	M	I	T	E	■	E	R	E

Jeu 105

	1	2	3	4	5	6	7	8	9	10	11	12
1	D	E	M	O	N	S	T	R	A	T	I	F
2	E	G	A	R	E	E	■	A	G	O	R	A
3	G	A	G	I	S	T	E	■	R	I	A	D
4	E	L	I	E	■	H	O	T	E	S	S	E
5	L	I	E	N	S	■	L	I	E	E	■	M
6	E	T	■	T	A	P	I	E	■	E	V	E
7	A	M	■	T	I	E	N	S	■	A	N	■
8	C	R	A	N	I	E	N	■	O	I	N	T
9	R	I	R	O	N	S	■	R	U	A	T	■
10	I	S	A	I	E	■	B	I	P	L	A	N
11	E	M	I	R	■	C	L	O	I	T	R	E
12	R	E	S	E	R	V	E	■	R	A	D	E

Jeu 106

	1	2	3	4	5	6	7	8	9	10	11	12
1	O	R	N	I	E	R	E	■	M	A	R	E
2	P	A	I	E	■	A	R	R	O	S	E	R
3	T	I	G	N	A	S	S	E	■	S	I	R
4	I	D	E	A	L	E	■	I	M	I	T	E
5	M	I	R	■	I	R	O	N	I	S	E	R
6	I	R	I	S	E	■	A	E	R	E	R	■
7	S	■	A	I	N	E	S	S	E	■	E	L
8	M	A	■	D	E	M	I	■	T	A	R	E
9	E	S	S	E	■	U	S	I	T	E	■	V
10	■	T	U	R	C	S	■	B	E	R	C	E
11	T	R	I	E	S	■	G	I	S	E	L	E
12	R	E	T	E	N	U	E	S	■	S	E	S

Jeu 107

	1	2	3	4	5	6	7	8	9	10	11	12
1	A	D	O	P	T	E	E	■	D	O	I	T
2	G	I	S	A	I	T	■	G	O	U	D	A
3	R	A	E	L	■	A	C	A	R	I	E	N
4	E	C	R	A	N	■	R	U	S	E	■	G
5	S	R	■	N	O	C	E	R	A	■	S	A
6	S	E	C	■	E	U	E	■	L	O	N	G
7	I	■	A	D	M	I	R	E	■	P	O	E
8	V	I	D	O	I	R	■	C	L	U	B	■
9	E	C	O	L	E	■	E	R	O	S	I	F
10	■	A	G	E	■	E	X	I	T	■	S	E
11	C	R	A	N	E	■	I	N	T	I	M	E
12	M	E	N	T	H	O	L	■	E	R	E	S

Jeu 108

	1	2	3	4	5	6	7	8	9	10	11	12
1	I	N	S	E	N	S	I	B	L	E	■	A
2	N	I	O	B	I	U	M	■	I	N	T	I
3	C	E	L	E	■	C	A	B	A	N	O	N
4	I	R	E	N	E	■	M	A	S	U	R	E
5	T	A	■	E	X	E	A	T	■	I	D	E
6	E	S	A	■	O	R	T	I	E	■	U	S
7	E	■	S	I	D	I	■	R	U	S	■	■
8	■	M	A	N	E	G	E	■	S	I	P	O
9	I	E	N	A	■	E	C	O	S	S	E	R
10	T	R	A	P	U	■	U	R	E	M	I	E
11	E	D	■	T	R	I	M	E	■	A	N	E
12	M	E	L	E	■	R	E	E	L	L	E	S

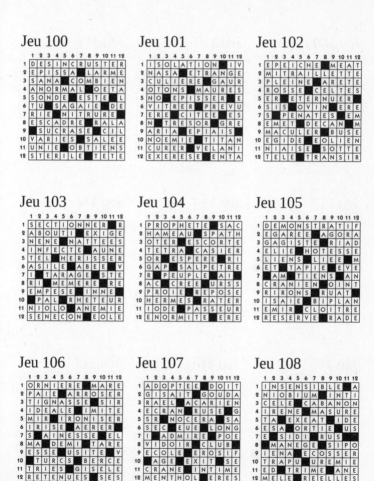

Solutions

Jeu 109

	1	2	3	4	5	6	7	8	9	10	11	12
1	A	P	P	R	E	H	E	N	S	I	O	N
2	M	E	S	U	R	E	R		E	T	U	I
3	O	S	I	E	R		A	N	I	E	R	E
4	R	A		L	E	G	I	O	N		L	E
5	T		A	L		U	L	Y	S	S	E	
6	I	R	R	E	E	L	L	E		I	R	A
7	S	O	T		O	D	E		E	N		M
8	S	T	E	R	N	E		S	T	U	P	A
9	A	E	R	A		N	I	A	I	S	E	S
10	B	R	E	M	E		R	I	A		U	S
11	L	A		E	T	R	A	N	G	E	R	E
12	E	S	P	E	C	E	S		E	R	S	E

Jeu 110

	1	2	3	4	5	6	7	8	9	10	11	12
1	P	R	E	F	E	R	E	N	T	I	E	L
2	R	A	P		C	A	M	B	I	S	T	E
3	O	D	I	E	U	S	E		R	O	C	S
4	T	I	E	N		A	R	I	E	L		E
5	E	A	U		U	N	I	R		A	M	E
6	C	L		P	S	T		A	B	B	E	
7	T		T	U	E	E	S		A	L	F	A
8	O	B	I	E	R		P	A	R	E	I	L
9	R	A	T		A	V	R	I	L		A	L
10	A	N	U	S		A	U	T	O	M	N	E
11	T	A	B	A	G	I	E		N	I	C	E
12		L	E	C	O	N		A	G	E	E	S

Jeu 111

	1	2	3	4	5	6	7	8	9	10	11	12
1	C	A	S	T	A	G	N	E	T	T	E	S
2	A	C	T	E	U	R		T	I	A	R	E
3	S	C	A	L	P	E	L		B	R	E	L
4	A	R	T		R	E	I	N	E	S		E
5	N	A	I	N	E		C	A	T	I	O	N
6	I		C	A	S	S	O	N		E	U	E
7	E	M	E	T		C	R	A	C	R	A	
8	R	A		T	I	E	N	N	E		I	F
9		D	R	E	N	N	E		D	A	L	I
10	T	R	O	E	N	E		B	U	G	L	E
11	R	A	B		E	S	C	A	L	I	E	R
12	I	S	A	I	E		T	R	E	S	S	E

Jeu 112

	1	2	3	4	5	6	7	8	9	10	11	12
1	E	P	I	G	R	A	P	H	E		A	U
2	S	O	L	A	I	R	E		L	A	C	S
3	C	R	E	T		P	U	P	I	T	R	E
4	A	T	T	E	L	E		E	S	T	E	R
5	M	E		E	U	G	E	N	I	E		A
6	O	U	R		C	E	S	S	O	N	S	
7	T	R	E	M	A		S	E	N	T	I	R
8	A		C	O	N	D	O	R		I	R	A
9	G	L	A	N	E	U	R		B	O	O	M
10	E	O	L	E		R	E	C	E	N	T	E
11		M	E	L	E	E		O	R	N	E	R
12	T	E	R		R	E	M	I	S	E	R	A

Jeu 113

	1	2	3	4	5	6	7	8	9	10	11	12
1	D	E	S	O	D	O	R	I	S	A	N	T
2	E	D	A	M		S	E	C	O	U	E	E
3	S	E	M	B	L	A	N	T		N	O	N
4	H	S		L	E	S	T	E	M	E	N	T
5	O	S	E	E	S		E	R	I	E		E
6	N	E	M		I	D	E	E	S		I	R
7	N		B	I	N	E	S		E	T	N	A
8	E	T	U	D	E	S		C	R	O	S	S
9	T	U	E	E		T	I	R	A	I	T	
10	E	N	R	A	C	I	N	E		S	A	E
11	T	I		L	A	N	C	E	M	E	N	T
12	E	S	S	E	S		A	S	C	E	T	E

Jeu 114

	1	2	3	4	5	6	7	8	9	10	11	12
1	S	U	B	C	O	N	S	C	I	E	N	T
2	E	N	O	R	G	U	E	I	L	L	I	R
3	M	A	S	U	R	E		N	E	I	G	E
4	B	U	S		E	R	R	E	S		E	V
5	L		E	S	S	A	I	M		B	L	E
6	A	G	R	E	S		C	A	N	A	L	
7	B	R		M	E	U	H		U	S	E	E
8	L	A	C	E		S	E	N	A	T		V
9	E	C	O	U	T	E		U	N	I	R	A
10		I	S	R	A	E	L		C	L	E	S
11	S	E	S		I	S	A	B	E	L	L	E
12	I	R	E	N	E		D	O	R	E	U	R

Jeu 115

	1	2	3	4	5	6	7	8	9	10	11	12
1	P	A	R	D	O	N		N	A	I	V	E
2	I	L	I	E	N		P	E	T	R	I	N
3	S	T	E	N	T	O	R	S		A	B	S
4	S	E	N	T		M	E	S	S	I	R	E
5	A	R	S	E	N	I	C		O	T	A	I
6	L	E		L	I	S	E	R	E		T	G
7	A	E	R	E	E		P	O	U	M	O	N
8	D		A	R	C	A	T	U	R	E		E
9	I	C	I		E	U	E	S		C	F	
10	E	R	N	E	S	T		S	T	E	R	E
11	R	E	E	R		A	P	E	N	N	I	N
12	E	T	R	E	I	N	T		T	E	T	A

Jeu 116

	1	2	3	4	5	6	7	8	9	10	11	12
1	S	E	D	E	N	T	A	I	R	E		A
2	T	R	I	M	E	R		F	A	T	A	L
3	U	R	E	E		A	U	S	T	E	R	E
4	P	E	R	T	U	I	S		A	N	A	R
5	I	R	E		S	N	I	F		D	I	T
6	D		S	C	I	E	N	E	S		R	E
7	I	L	E	O	N		E	R	O	D	E	
8	T	E		L	I	B	E	R	T	E		S
9	E	G	A	L	E	R		A	S	P	I	C
10		E	V	E	R	E	S	T		U	N	I
11	A	R	E	U		M	A	E	S	T	R	O
12	B	E	U	R	R	E	R		R	E	I	N

Jeu 117

	1	2	3	4	5	6	7	8	9	10	11	12
1	H	O	S	P	I	T	A	L	I	S	E	R
2	A	L	E	R	T	E	R	A		U	P	I
3	V	I	R	E		N	A	M	I	B	I	E
4	E	V	A	N	E	S	C	E	N	T		U
5	R	E		O	P	E		S	E	I	N	S
6		R	A	M	E	U	R		P	L	I	E
7	C	I	E		I	R	A	I	T		C	S
8	A	E	R	E	R		B	R	E	A	K	
9	R		O	P	E	R	A	I		G	E	L
10	M	A	N	A		A	T	O	N	A	L	E
11	I	N	E	R	M	E		N	E	V	E	S
12	N	E	F		C	L	Y	S	T	E	R	E

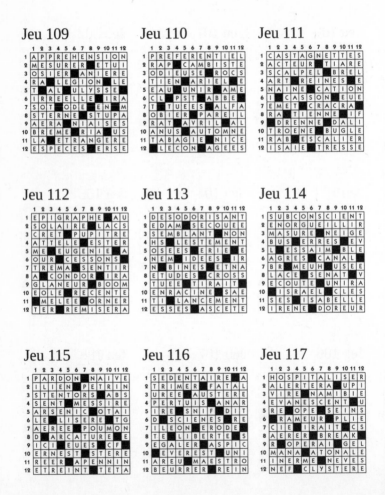

Solutions

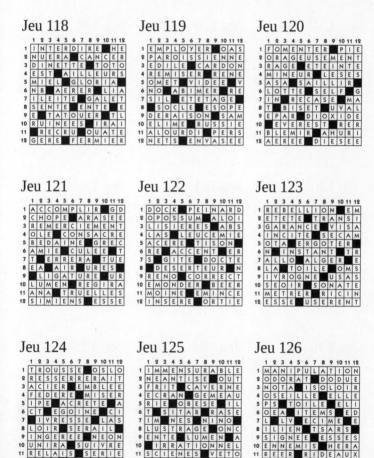

Jeu 118

```
   1  2  3  4  5  6  7  8  9 10 11 12
1  I  N  T  E  R  D  I  R  E  ░  H  E
2  N  U  E  R  A  ░  C  A  N  C  E  R
3  D  I  N  E  T  T  E  ░  T  O  T  O
4  E  S  T  ░  A  I  L  L  E  U  R  S
5  M  I  E  L  ░  G  L  O  R  I  A  ░
6  N  B  ░  A  E  R  E  R  ░  L  I  A
7  I  L  E  I  T  E  ░  G  A  L  E  T
8  S  E  N  T  E  ░  E  N  T  E  ░  E
9  E  ░  T  A  T  O  U  E  R  ░  T  L
10 R  U  I  N  E  E  S  ░  I  R  A  I
11 ░  R  E  C  R  U  ░  O  U  A  T  E
12 G  E  R  E  ░  F  E  R  M  I  E  R
```

Jeu 119

```
   1  2  3  4  5  6  7  8  9 10 11 12
1  E  M  P  L  O  Y  E  R  ░  O  A  S
2  P  A  R  O  I  S  S  I  E  N  N  E
3  E  D  I  L  E  ░  C  A  R  D  O  N
4  R  E  M  I  S  E  R  ░  R  E  N  E
5  O  M  E  T  ░  V  I  D  E  E  ░  V
6  N  O  ░  A  B  I  M  E  R  ░  R  E
7  S  I  L  ░  E  T  E  T  A  G  E
8  S  O  C  L  E  ░  E  S  O  P  E  ░
9  D  E  R  A  I  S  O  N  ░  S  A  M
10 E  L  I  M  E  ░  R  U  S  S  I  E
11 A  L  O  U  R  D  I  ░  P  E  R  S
12 N  E  T  S  ░  E  N  V  A  S  E  E
```

Jeu 120

```
   1  2  3  4  5  6  7  8  9 10 11 12
1  F  O  M  E  N  T  E  R  ░  P  I  E
2  O  R  A  G  E  U  S  E  M  E  N  T
3  R  A  G  E  ░  E  T  E  I  N  T  E
4  M  I  N  E  U  R  ░  L  E  S  E  S
5  A  S  A  ░  S  A  I  L  L  I  R
6  L  O  T  T  E  ░  S  E  L  F  ░  G
7  I  N  ░  R  E  C  A  S  E  ░  M  A
8  T  ░  B  I  S  E  T  ░  U  V  A  L
9  E  P  A  R  ░  D  I  O  X  I  D  E
10 ░  E  V  E  R  E  S  T  ░  R  E  R
11 B  L  E  M  I  R  ░  A  H  U  R  I
12 A  E  R  E  E  ░  D  I  E  S  E  E
```

Jeu 121

```
   1  2  3  4  5  6  7  8  9 10 11 12
1  A  C  C  O  M  P  L  I  R  ░  G  D
2  C  H  O  P  E  ░  A  R  A  S  E  E
3  R  E  M  E  R  C  I  E  M  E  N  T
4  O  L  E  ░  C  O  N  S  A  C  R  E
5  B  E  D  A  I  N  E  ░  G  R  E  C
6  A  M  I  E  ░  C  U  L  E  E  ░  T
7  T  ░  E  R  R  E  R  A  ░  T  U  E
8  E  A  ░  A  I  R  ░  U  R  E  S
9  ░  L  I  G  A  T  U  R  E  ░  U  R
10 L  U  M  E  N  ░  R  E  G  I  R  A
11 A  N  A  ░  T  R  U  E  L  L  E  S
12 S  I  M  I  E  N  S  ░  E  S  S  E
```

Jeu 122

```
   1  2  3  4  5  6  7  8  9 10 11 12
1  D  O  C  K  ░  P  E  I  N  A  R  D
2  O  P  O  S  S  U  M  ░  A  L  O  I
3  L  I  S  I  E  R  E  S  ░  A  B  S
4  L  A  S  ░  L  E  U  C  E  M  I  E
5  A  C  E  R  E  ░  T  I  S  O  N  ░
6  R  E  ░  A  C  C  E  N  T  ░  E  R
7  S  ░  G  I  T  E  ░  D  O  C  T  E
8  B  ░  D  E  S  E  R  T  E  U  R  ░ N
9  R  E  N  O  ░  C  O  R  R  E  C  T
10 E  M  O  N  D  E  R  ░  B  E  E  R
11 M  O  I  N  E  ░  E  M  I  N  C  E
12 I  N  S  E  R  E  ░  O  R  T  I  E
```

Jeu 123

```
   1  2  3  4  5  6  7  8  9 10 11 12
1  R  E  B  E  L  L  I  O  N  ░  E  M
2  E  T  E  T  E  ░  T  R  A  N  S  I
3  G  A  R  A  N  C  E  ░  V  I  S  A
4  A  ░  I  N  C  I  T  E  ░  S  E  C  A M
5  O  T  A  ░  E  R  G  O  T  E  R  ░
6  N  ░  I  N  S  T  A  N  T  ░  T  R
7  A  L  L  O  ░  A  L  G  E  R  ░  E
8  B  L  A  ░  T  O  I  L  E  ░  O  M  S
9  I  V  R  O  G  N  E  ░  U  S  A  S
10 S  E  O  I  R  ░  S  O  N  A  T  E
11 M  E  T  R  E  R  ░  R  I  C  I  N
12 E  S  S  E  ░  U  S  E  R  E  N  T
```

Jeu 124

```
   1  2  3  4  5  6  7  8  9 10 11 12
1  T  R  O  U  S  S  E  ░  O  S  L  O
2  R  E  S  S  E  R  R  E  R  A  I  T
3  A  C  I  E  R  ░  E  M  B  L  E  E
4  F  E  D  E  R  E  ░  M  I  S  E  R
5  I  P  E  ░  A  C  R  E  T  E  ░  A
6  C  T  ░  E  G  O  I  N  E  ░  C  I
7  ░  I  V  R  E  S  S  E  ░  L  A  S
8  B  L  O  I  R  ░  S  E  R  A  I  L
9  I  N  G  E  R  E  E  ░  N  E  O  N
10 N  U  I  R  A  ░  S  U  I  V  R  E
11 R  E  L  A  I  S  ░  S  E  R  I  E
12 E  R  E  S  ░  S  T  E  R  E  E  S
```

Jeu 125

```
   1  2  3  4  5  6  7  8  9 10 11 12
1  I  M  M  E  N  S  U  R  A  B  L  E
2  N  E  A  N  T  I  S  E  ░  O  U  T
3  F  R  I  T  ░  C  A  V  E  R  N  E
4  E  C  R  A  N  ░  G  E  M  E  A  U
5  R  I  E  ░  O  B  E  S  E  ░  I  L
6  T  ░  S  I  T  A  R  ░  R  A  S  E
7  I  M  ░  N  E  S  ░  N  I  N  O
8  L  U  S  T  R  A  G  E  ░  O  N  C
9  E  N  T  E  ░  L  U  M  E  N  ░  A
10 ░  I  R  R  A  T  I  O  N  N  E  L
11 S  C  I  E  N  E  S  ░  V  E  T  O
12 T  H  E  T  A  ░  E  M  I  R  A  T
```

Jeu 126

```
   1  2  3  4  5  6  7  8  9 10 11 12
1  M  A  N  I  P  U  L  A  T  I  O  N
2  O  D  O  R  A  T  ░  D  O  D  U  E
3  N  O  T  A  ░  I  S  O  L  O  I  R
4  O  S  E  I  L  L  E  ░  E  L  L  E
5  P  S  ░  T  O  I  L  E  ░  E  L  I
6  O  E  A  ░  I  T  E  M  S  ░  E  D
7  L  ░  L  V  ░  E  C  I  M  E  ░  E
8  I  L  I  E  N  ░  T  S  A  R  S
9  S  I  G  N  E  E  ░  E  S  S  E  S
10 E  N  N  E  M  I  S  ░  H  E  R  A
11 R  E  E  R  ░  R  I  D  E  A  U  X
12 A  R  R  E  T  E  ░  B  R  U  M  E
```

Solutions

Jeu 127

	1	2	3	4	5	6	7	8	9	10	11	12
1	C	O	N	T	R	A	R	I	E	R		S
2	A	B	O	I	E		I	M	M	O	L	E
3	R	E	C	T	E	U	R		E	M	I	R
4	N	I	E	R		N	A	V	R	A	N	T
5	A	R	R	E	T	E		A	I	N	E	
6	S	A		R	A	S	A	N	T		R	A
7	S	I	L		S	C	E	N	E	S		N
8	I		E	S	S	O	R	E		A	B	C
9	E	N	T	E	E		E	R	A	B	L	E
10	R	E	C	U	R	E	R		I	L	E	T
11		P	H	I		R	A	C	L	E	U	R
12	P	E	I	L	L	E		F	E	R	I	E

Jeu 128

	1	2	3	4	5	6	7	8	9	10	11	12
1	E	P	I	S	S	A		R	E	V	E	S
2	N	A	N	T	I	S	S	E	M	E	N	T
3	U	R	G	E	R		A	C	U	I	T	E
4	M	I	E		E	N	G	R	E	N	E	R
5	E		N	A	S	E	A	U		A	R	E
6	R	O	U	E		R	I	E	U	R		O
7	A	T		T	U	E	E		R	D	A	
8	T	A	M	I	S	E		P	A	T	E	
9	I	L	O	T	E		P	O	E	L	O	N
10	O	G	R	E		P	A	R	T	O	U	T
11	N	I	A		P	A	R	T	E	R	R	E
12	S	E	L	E	C	T	E		S	I	S	E

Jeu 129

	1	2	3	4	5	6	7	8	9	10	11	12
1	R	A	T	I	O	N	N	E	M	E	N	T
2	E	P	I	S	S	A		T	A	M	I	A
3	N	E	M	O		I	T	A	L	I	E	N
4	F	R	I	C	H	T	I		I	N	R	I
5	R	O	D	E	O		R	A	N	C	O	N
6	O		E	L	U	D	E	E		E	N	
7	G	D		E	D	E	N	T	E		T	I
8	N	E	S		A	C	T	I	O	N		B
9	E	B	U	R	N	E		U	L	U	L	E
10	R	I	M	E		D	E	S	I	R	E	R
11		L	A	C	H	E	R		E	S	S	E
12	D	E	C	U	S		G	E	N	E	E	S

Jeu 130

	1	2	3	4	5	6	7	8	9	10	11	12
1	D	E	S	S	A	O	U	L	E	R		D
2	E	L	A	E	I	S		E	C	O	P	E
3	C	O	M	P	R	E	S	S	I	B	L	E
4	A	G	A		E	S	T	I	M	E	E	S
5	P	E	R	I	L		A	N	E		I	S
6	A		E	C	L	A	T	E		U	N	E
7	N	P		T	E	N	U		I	L	E	
8	T	A	L	E		N	E	A	N	T		H
9		L	A	R	G	E		U	S	I	N	E
10	A	P	P	E	L	E	E		E	M	O	U
11	L	E	E		A	S	S	U	R	E	U	R
12	E	R	R	A	S		A	N	E	S	S	E

Jeu 131

	1	2	3	4	5	6	7	8	9	10	11	12
1	D	E	C	O	I	F	F	E	R		R	A
2	E	P	A	R	S	E		P	I	L	E	T
3	V	I	L	E	S		V	I	V	A	N	T
4	E	C	O	E	U	R	E		E	P	I	E
5	R	I	T		E	U	R	A	S	I	E	N
6	G	E		T	S	A	R	S		N	E	T
7	O	R	N	E		D	A	T	E		S	E
8	N		I	N	V	E	T	E	R	E	E	
9	D	E	P	U	I	S		R	E	V	E	
10	A	L	P	I	N		L	I	B	I	D	O
11	G	U	E	T		P	I	E	U	T	E	R
12	E	S	S	E	N	C	E		S	A	N	S

Jeu 132

	1	2	3	4	5	6	7	8	9	10	11	12
1	C	A	L	E	C	O	N		E	L	L	E
2	A	V	I	D	E		E	S	S	A	I	M
3	M	E	R	I	T	E	N	T		B	T	U
4	A	P	R	E	T		D	E	R	M	I	T
5	S	A	T	T	E	L	E		I	U	L	E
6	G	I	T		I	N	S	E	R	E	R	
7	N		E	M	E	T	T	R	E		A	M
8	E	A		O	V	E	E		M	E	L	E
9	B	O	U	R	R	E	L	E	R		G	
10	F	U	R	I	E		P	A	N	A	D	E
11	I	S	I	S		B	L	O	T	T	I	R
12	T	E	N	E	B	R	E	S		O	S	E

Jeu 133

	1	2	3	4	5	6	7	8	9	10	11	12
1	M	U	N	I	T	I	O	N	S		D	E
2	E	P	U	C	E	R		E	C	R	I	T
3	C	E	R	I	S	E	S		H	U	A	I
4	A	R	S		T	S	A	R	I	S	M	E
5	N	I	E	R	A		B	O	S	S	E	R
6	I	S	S	U		P	L	U	M	E	T	
7	S	E		S	C	R	I	B	E		R	U
8	A	R	P		R	E	E	L		S	E	N
9	T		E	N	I	V	R	A	N	T		I
10	I	M	P	O	S	E		R	U	A	I	T
11	O	U	I	R		N	U	D	I	S	T	E
12	N	A	N	D	O	U	S		T	E	E	S

Jeu 134

	1	2	3	4	5	6	7	8	9	10	11	12
1	P	H	O	T	O	C	O	P	I	E	U	R
2	R	O	B	E		E	P	A	R	G	N	E
3	O	U	T	R	E	M	E	R		L	I	N
4	T	R	I	A	D	E		I	R	I	S	E
5	O	R	E		E	N	C	A	I	S	S	E
6	C	A	N	A	S	T	A		N	E	E	
7	O		S	U	S		B	A	C	S		E
8	L	E		T	E	N	A	C	E		O	P
9	E	T	N	A		A	L	E	S	A	G	E
10		R	E	N	T	I	E	R		N	I	L
11	B	O	S	T	O	N		B	R	A	V	E
12	U	N	S		C	E	L	E	B	R	E	R

Jeu 135

	1	2	3	4	5	6	7	8	9	10	11	12
1	S	O	C	I	E	T	A	I	R	E		L
2	T	R	O	L	L		G	L	O	T	T	E
3	E	N	G	L	U	E	R		C	R	U	S
4	R	E	N	E		R	I	S	S	O	L	E
5	N		E	T	A	M	P	E		I	L	E
6	E	S		T	R	I	P	A	R	T	I	
7	C	A	R	O	T	E	N	E		E	R	
8	C	I	N	E	M	A		C	L	O	R	E
9	H	E	U		A	G	N	E	A	U		L
10	A	R	R	E	T	E	E		C	A	T	I
11	M	A	I	R	E		E	C	H	I	N	E
12	P	I	E	S		A	S	B	E	S	T	E

Solutions

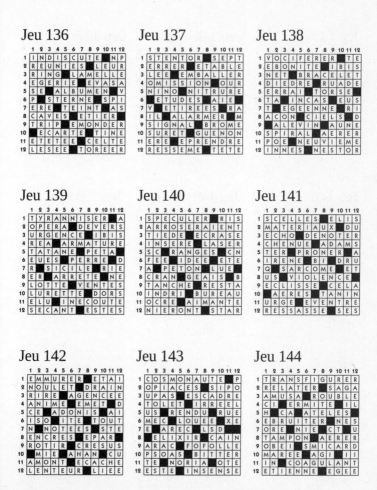

Jeu 136

1	2	3	4	5	6	7	8	9	10	11	12
I	N	D	I	S	C	U	T	E		N	P
R	E	U	N	I	E	S		L	E	U	R
R	I	N	G		L	A	M	E	L	L	E
E	G	E	R	I	E		E	V	A	S	A
S	E		A	L	B	U	M	E	N		V
P		S	T	E	R	N	E		S	P	I
E	R	E		T	E	I	N	T		A	S
C	A	V	E	S		E	T	I	E	R	
T	R	I	P		E	M	O	N	D	E	R
	E	C	A	R	T	E		T	I	N	E
E	T	E	T	E	E		C	E	L	T	E
L	E	S	E	E		T	O	R	E	E	R

Jeu 137

1	2	3	4	5	6	7	8	9	10	11	12
S	T	E	N	T	O	R		S	E	P	T
E	R	R	E	R		E	T	A	B	L	E
L	E	E		E	M	B	A	L	L	E	R
O	M	I	S	S	I	O	N		O	U	R
N	I	N	O		N	I	T	R	U	R	E
	E	T	U	D	E	S		A	I	E	
V		E	T	I	R	E	E	S		R	A
I	L		A	L	A	R	M	E	R		M
S	I	G	N	A	L		B	R	O	M	E
S	U	R	E	T		G	U	E	N	O	N
E	R	E		E	P	R	E	N	D	R	E
R	E	S	S	E	M	E		T	E	T	E

Jeu 138

1	2	3	4	5	6	7	8	9	10	11	12
V	O	C	I	F	E	R	E	R		T	E
E	B	O	N	I	T	E		I	B	I	S
N	E	T		B	R	A	C	E	L	E	T
D	I	E	D	R	E		R	U	A	D	E
E	R	R	A	I		T	O	R	S	E	
T	A		I	N	C	A	S		E	U	S
T		E	G	E	E	N	N	E		R	I
A	C	O	N		C	I	E	L	S		D
	A	L	E	V	I	N		A	U	N	E
S	P	I	R	A	L		A	E	R	E	R
P	O	E		N	E	U	V	I	E	M	E
I	N	N	E	S		N	E	S	T	O	R

Jeu 139

1	2	3	4	5	6	7	8	9	10	11	12
T	Y	R	A	N	N	I	S	E	R		A
O	P	E	R	A		D	E	V	E	R	S
U	R	G	E	N	C	E		I	B	I	S
R	E	A		A	R	M	A	T	U	R	E
T	A	T	A	N	E		P	E	T	A	
E	U	E	S		P	E	R	R	E		D
R		S	I	C	I	L	E		R	I	E
E	R		A	R	R	E	T	E		N	E
L	O	T	T	E		V	E	N	T	E	S
L	U	R	E	T	T	E		D	O	R	S
E	L	U		I	N	E	C	O	U	T	E
S	E	C	A	N	T		E	S	T	E	S

Jeu 140

1	2	3	4	5	6	7	8	9	10	11	12
S	P	E	C	U	L	E	R		R	I	S
A	R	R	O	S	E	R	A	I	E	N	T
T	I	E	D	E		E	C	R	A	S	E
I	N	S	E	R	E		L	A	S	E	R
S	C		R	A	N	G	E	S		C	N
F	E	E		I	D	E	E		E	T	E
A		P	E	T	O	N		L	U	E	
C	R	A	N		G	E	A	I	S		B
T	A	N	C	H	E		R	E	S	T	A
I	N	D	R	I		B	U	R	E	A	U
O	C	R	E		A	I	M	A	N	T	E
N	I	E	R	O	N	T		S	T	A	R

Jeu 141

1	2	3	4	5	6	7	8	9	10	11	12
S	C	E	L	L	E	S		E	L	I	S
M	A	T	E	R	I	A	U	X		D	U
E	C	H	O		D	E	N	O	T	E	R
C	H	E	N	U	E		A	D	A	M	S
T	E	R		P	R	O	N	E	R		A
I	R	E	N	E		B	I		D	R	U
Q		S	A	R	C	O	M	E		E	T
U	S		V	I	O	L	E	N	C	E	
E	C	L	I	S	S	E		C	E	L	A
A	E	R	E	S		T	A	N	I	N	
U	R	G	E		E	V	E	N	T	R	E
R	E	S	S	A	S	S	E		S	E	S

Jeu 142

1	2	3	4	5	6	7	8	9	10	11	12
E	M	M	U	R	E	R		E	T	A	I
N	O	U	L	E	T		D	R	A	I	N
R	I	R	E		A	G	E	N	C	E	E
A	N	I	M	E		E	M	E	T		D
C	E		A	D	O	N	I	S		A	I
I	S	O		I	T	E		T	O	U	T
N		N	O	T	E	E	S		S	T	E
E	N	C	R	E	S		E	P	A	R	
R	O	T	I	R		C	R	E	S	U	S
M	I	E		A	H	A	N		C	U	
A	M	O	N	T		E	C	A	C	H	E
L	E	N	T	E	U	R		L	I	E	E

Jeu 143

1	2	3	4	5	6	7	8	9	10	11	12
C	O	S	M	O	N	A	U	T	E		P
O	P	I	A	C	E	S		S	I	P	O
U	P	A	S		E	S	C	A	D	R	E
T	O	L	E	T		I	R	R	E	E	L
U	S		R	E	N	D	U		R	U	E
M	E	C		L	O	U	E	E		X	E
E		A	R	E	C		L	S	D		
E	L	I	X	I	R		C	A	I	N	
A	R	A	C		F	O	F	O	L	L	E
P	S	O	A	S		B	I	T	T	E	R
T	E		N	O	R	I	A		O	T	E
E	S	T	E		I	N	S	E	N	S	E

Jeu 144

1	2	3	4	5	6	7	8	9	10	11	12
T	R	A	N	S	F	I	G	U	R	E	R
R	E	L	A	T	E	R		S	A	G	A
A	M	U	S	A		R	O	U	B	L	E
C	I		E	R	M	I	T	E		I	L
H		C	A		A	T	E	L	E	S	
E	B	R	U	I	T	E	R		N	E	S
O	R	E		N	I	E		C	T		U
T	A	M	P	O	N		A	E	R	E	R
O	B	E	I		S	M	I	C	A	R	D
M	A	R	E	E		A	G	I		I	I
I	N		C	O	A	G	U	L	A	N	T
E	T	I	E	N	N	E		E	G	E	E

Solutions

Jeu 145

	1	2	3	4	5	6	7	8	9	10	11	12
1	C	O	M	P	T	A	B	I	L	I	T	E
2	O	L	E	■	E	L	I	M	I	N	A	S
3	N	E	T	T	E	T	E	■	E	S	U	S
4	S	A	R	I	■	E	R	B	U	E	■	A
5	O	T	E	■	G	R	E	E	■	C	O	I
6	M	E	■	S	A	E	■	C	U	T	I	■
7	M	■	M	A	R	E	E	■	L	E	S	A
8	A	L	A	M	O	■	P	A	N	S	E	R
9	B	I	T	■	U	S	E	R	A	■	L	A
10	L	A	I	C	■	U	L	T	I	M	E	S
11	E	N	T	O	U	R	A	■	R	O	U	E
12	■	T	E	N	T	E	■	H	E	T	R	E

Jeu 146

	1	2	3	4	5	6	7	8	9	10	11	12
1	I	M	M	U	N	I	S	A	T	I	O	N
2	M	O	I	N	E	S	■	S	A	N	I	E
3	M	E	N	E	U	S	E	■	M	A	L	I
4	A	R	A	■	V	U	L	P	I	N	■	G
5	N	E	U	V	E	■	A	R	A	I	R	E
6	E	■	D	O	S	A	G	E	■	T	E	S
7	N	O	E	L	■	P	A	T	R	E	S	■
8	T	R	■	A	P	O	G	E	E	■	T	E
9	■	D	I	G	I	T	E	■	P	O	I	L
10	T	U	L	E	A	R	■	T	U	T	T	I
11	E	R	E	■	N	E	G	A	T	E	U	R
12	R	E	T	R	O	■	A	C	E	R	E	E

Jeu 147

	1	2	3	4	5	6	7	8	9	10	11	12
1	E	N	C	H	A	S	S	E	R	■	V	A
2	V	O	L	O	N	T	E	■	O	S	E	R
3	A	T	O	N	■	A	C	O	M	P	T	E
4	C	A	S	T	E	L	■	C	A	H	O	T
5	U	R	■	E	B	A	T	T	R	E	■	E
6	A	I	E	■	A	G	R	A	I	R	E	■
7	T	E	N	D	U	■	A	N	N	O	T	E
8	I	■	C	A	B	A	N	E	■	M	A	T
9	O	T	A	R	I	E	S	■	R	E	G	I
10	N	I	D	S	■	R	E	B	U	T	E	R
11	■	F	R	E	L	E	■	T	E	R	R	E
12	O	S	E	■	R	E	F	U	S	E	E	S

Jeu 148

	1	2	3	4	5	6	7	8	9	10	11	12
1	M	E	C	A	N	I	S	A	T	I	O	N
2	A	M	O	S	■	R	E	C	E	N	T	E
3	C	E	N	T	R	E	N	T	■	F	E	U
4	R	U	■	R	E	S	T	I	T	U	E	R
5	O	T	E	E	S	■	A	V	I	S	■	O
6	C	E	S	■	I	G	N	E	E	■	S	N
7	E	■	S	E	N	A	T	■	D	I	T	E
8	P	L	A	C	E	R	■	R	E	N	E	S
9	H	E	R	A	■	A	R	A	S	E	R	■
10	A	S	T	R	O	N	E	F	■	D	E	S
11	L	E	■	T	U	T	E	L	A	I	R	E
12	E	R	R	E	R	■	R	E	S	T	A	T

Jeu 149

	1	2	3	4	5	6	7	8	9	10	11	12
1	L	E	G	I	T	I	M	E	M	E	N	T
2	A	M	E	R	I	C	A	N	I	S	E	R
3	C	I	N	E	M	A	■	D	R	A	M	E
4	U	R	E	■	B	R	O	U	E	■	E	M
5	N	■	E	R	R	E	U	R	■	A	S	A
6	A	N	S	E	E	■	R	E	P	L	I	■
7	I	O	■	B	R	A	S	■	L	E	S	A
8	R	U	E	R	■	C	E	S	A	R	■	L
9	E	R	R	A	N	T	■	R	I	T	A	L
10	■	R	A	S	E	E	S	■	S	E	M	I
11	A	I	T	■	M	E	T	A	I	R	I	E
12	T	R	O	I	S	■	E	C	R	A	S	E

Jeu 150

	1	2	3	4	5	6	7	8	9	10	11	12
1	M	O	R	A	L	E	■	N	O	T	E	E
2	I	S	O	L	E	■	C	A	N	O	N	S
3	T	E	N	T	E	R	A	S	■	I	L	E
4	R	I	D	E	■	E	R	A	F	L	E	R
5	A	L	E	R	T	E	R	■	L	E	V	I
6	I	L	■	N	A	R	I	N	E	■	E	N
7	L	E	G	E	R	■	O	E	U	V	R	E
8	L	■	E	R	A	F	L	U	R	E	■	S
9	E	O	N	■	G	U	E	T	■	I	I	■
10	U	V	A	L	E	S	■	R	A	N	G	E
11	S	E	N	E	■	E	L	E	V	E	U	R
12	E	S	T	I	M	E	E	■	E	R	E	S

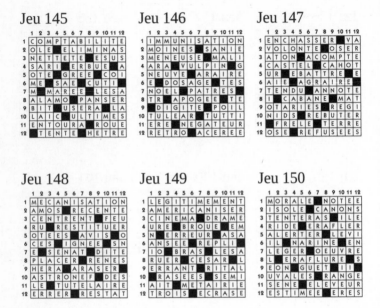